W9-CTK-099

Е. В. Черняева

ОСНОВЫ ЛАНДШАФТНОГО ДИЗАЙНА

Москва
Издательство «Фитон XXI»

УДК 712
ББК 85.118.7
Ч 49

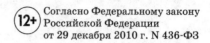

Е. В. Черняева

Ч 49   Основы ландшафтного дизайна. — М.: Фитон XXI, 2013. — 120 с.: ил.
ISBN 978-5-906171-04-7

Эта книга предназначена для начинающего ландшафтного специалиста. В ней собраны сведения о зонах и объектах сада, материалах, нормах ландшафтного строительства, приведены основные принципы художественной композиции. Материал изложен так, как он обрабатывается ландшафтным дизайнером в процессе создания проекта частного сада: от изучения участка на начальном этапе до деталей декоративного оформления на завершающей стадии. Внимание читателя акцентируется на самых важных практических вопросах — оптимальном размещении зон и объектов, соблюдении норм и правил, коррекции проблемных участков.

УДК 712
ББК 85.118.7

ISBN 978-5-906171-04-7   © ЗАО «Фитон+», 2010

Екатерина Вадимовна Черняева

ОСНОВЫ ЛАНДШАФТНОГО ДИЗАЙНА

Фотографии автора
Планы и визуализация проектов *О.В. Баукиной, И.И. Галкиной, Е.В. Черняевой*
Художники *М. Ахадова, Л. Орлова*

На обложке фото *А.Б. Лысикова*

Ведущий редактор *Е. В. Туинова*
Главный художник *М. В. Суханова*
Верстка и обработка иллюстраций *М. В. Кондрашовой*

ООО «Фитон XXI»
Отдел оптовых продаж — тел. 8 (499) 256-25-75, sales@fiton-knigi.ru
Розничная продажа — Интернет-магазин www.plantarya.ru
Формат 60 x 90$_{1/16}$. Гарнитура «Школьная».
Усл. печ. л. 7,5. Тираж 1500 экз. Заказ №1911.
Налоговая льгота — общероссийский классификатор продукции
ОК 005-93, том 2
95 3000 — книги и брошюры
Отпечатано с готового оригинал-макета
в ОАО «Издательско-полиграфическое предприятие «Правда Севера».
163002, г. Архангельск, пр. Новгородский, 32.
Тел./факс: (8182) 64-14-54, тел.: (8182) 65-37-65, 65-38-78
www.ippps.ru, e-mail: *ippps@atnet.ru*

Содержание

Введение

Ландшафтное строительство в России в последние два десятка лет развивается стремительно. Благодаря специалистам зеленого хозяйства наши города и поселки приобрели ухоженный, достойный вид. Пригороды радуют глаз зеленью многочисленных садов.

За эти годы накоплен огромный опыт, требующий осмысления и упорядочивания. Ведь именно в ландшафтном искусстве счастливо соединились технологии садоводства и строительства, правила архитектуры и традиции ведения приусадебного хозяйства, стихии природы и явления мировой культуры, натуральные и искусственные материалы, классика и модные веяния.

Ни для кого не секрет, что многие понятия в ландшафтном строительстве трактуются вольно, художественно и может сложиться обманчивое впечатление, что ландшафтная архитектура не обременена нормативной базой в такой степени, как например, строительство. Это и есть тот камень преткновения, который лежит в основе дискуссий о «правильном» или «неправильном» в ландшафтном дизайне. Практикующий ландшафтный дизайнер в работе попадает в правовое поле законов, относящихся к лесному хозяйству, землепользованию, земельному кадастру, пожарной безопасности, санитарному контролю. Ландшафтные работы подчиняются всему своду строительных норм и правил. Не стоит забывать об устаревших, но условно действующих на территории частных усадеб норм дачных кооперативов и садово-огородных товариществ. Также на практику ландшафтного строительства условно переносятся правила и нормы городского коммунального хозяйства. А еще надо напомнить о традициях русского садоводства, менталитете городского и сельского населения, сложившихся стереотипах, океане популярной литературы, давлении рынка с его всепобеждающим коммерческим интересом, и становится понятно, как нелегко работать ландшафтному дизайнеру.

Эта книга предназначена для начинающего ландшафтного специалиста. В ней, как и в других справочниках, приведены сведения о материалах, нормах, объектах ландшафтного строительства. Но в отличие от других изданий, материал изложен так, как он обрабатывается ландшафтным дизайнером в процессе создания проекта частного приусадебного сада, т. е. от изучения участка на начальном этапе до деталей декоративного оформления на завершающей стадии. Внимание читателя акцентируется на самых важных практических вопросах – выборе материала, размещении объектов, соблюдении норм и правил. Хотя в дан-

ной книге не описана технология ландшафтных работ, внимание читателя привлекается к важным практическим аспектам ландшафтного строительства. Например, многие работы выполняются исходя из сложившейся практики, если речь идет о выборе «удачного» растения, определении стратегии обработки почвы, оформлении документов, проектов и пр.

Автор всеми силами старался избежать формализма и шаблонности в изложении материала, учитывая, что древнее, но непрерывно развивающееся ландшафтное искусство буквально взывает к живому, заинтересованному обсуждению.

Изучение садового участка

В природе не существует двух совершенно одинаковых участков — даже соседние наделы могут принципиально отличаться друг от друга. Поэтому каждый проект озеленения и благоустройства создается только с учетом индивидуальных особенностей участка. Задача проектировщика — устранить или нивелировать недостатки, выявить и обыграть достоинства землевладения. Для этого участок тщательно исследуют.

Все собранные об участке сведения оформляются единым документом — чертежом или рисунком (без соблюдения масштаба), на который информация перенесена в кратком виде, с помощью условных обозначений. Этот документ называют *планом-анализом ситуации на участке*.

МИКРОКЛИМАТ

Микроклимат садового участка складывается из многих составляющих — его рельефа, освещенности, наличия больших деревьев, состава грунта, гидрорежима, близости открытых пространств или крупного водного объекта. В совокупности эти обстоятельства формируют влажный или сухой микроклимат, создают теплые защищенные «убежища» или морозные карманы. Большое значение для растительности имеют такие климатические факторы местности, как толщина и устойчивость снежного покрова, глубина промерзания грунта зимой, влажность воздуха, количество солнечных дней в году. Сведения о климате для различных районов России можно узнать в СНиП «Строительная климатология и геофизика. Основные положения проектирования».

Температурный перепад

Для растительности большое значение имеет суточный перепад температур. Разницу между дневной и ночной температурой сглаживают глинистые почвы, наличие больших деревьев, защита от ветров. Наоборот, самые резкие перепады наблюдаются на открытых ветреных участках, безлесных песчаных склонах. Хотя среди садовой флоры есть виды, способные переносить резкие суточные перепады температур, большинство декоративных растений лучше развиваются при плавном суточном графике температуры. Улучшают ситуацию посадки деревьев и кустарников, окультуривание почвы.

Роза ветров

Розой ветров называют господствующее (преобладающее) направление ветра в данной местности. В средней полосе России преобладают западные ветры, влажные и умеренно теплые. Однако даже в пределах Подмосковья могут быть различия в преобладающем направлении ветров. Северные ветры приносят холод и морозы, южные – жару и засуху.

Ветровой коридор

Рельеф окружающей местности также может влиять на направление ветровых потоков. Речные долины часто становятся своеобразными ловушками ветра. Участки, расположенные вблизи рек, могут попасть в так называемый ветровой коридор, где ветер дует почти постоянно. Большинство видов растений плохо переносят ветер. Для борьбы с ветровым коридором необходимо создавать защитные посадки. Наилучшие породы для этого – лиственницы, тополя.

Морозный карман

Холодный воздух тяжелее теплого, поэтому он «стекает» по склонам и скапливается в понижениях рельефа. Такой же эффект возникает там, где на пути холодного воздуха вниз по склону стоит преграда – забор, здание; тогда он надолго задерживается в этих местах, повреждая растения. Такие места на участке называют морозными карманами. Иногда целый поселок может располагаться в морозном кармане. Особенно страдают плодовые деревья: это явление губительно сказывается на них зимой в сильные морозы и весной во время поздних заморозков. Борьба с застоем холодного воздуха на участке заключается в формировании защитных посадок и вертикальной планировке.

Гидрорежим

Вода, так необходимая для жизнедеятельности растений, поступает на участок из нескольких источников. В первую очередь это вода осадков. В средней полосе России выпадает до 600 мм осадков в год, и этой воды более чем достаточно для роста и развития садовых растений. Однако на участке может быть еще несколько дополнительных видов увлажнения.

Прежде всего, на участок может попадать влага от грунтовых вод, если они находятся близко к поверхности. Участки, расположенные на берегах водоемов, могут получать дополнительную влагу благодаря явлению, называемому *капиллярным подъемом воды*. Также дополнительная влага может поступать на участок, стекая с территории, лежащей выше него по рельефу. Бывает, что все перечисленные виды увлажнения присутствуют одновременно.

Большинство участков в Подмосковье в той или иной степени переувлажнены. Такие участки нуждаются в дренировании.

Однако если лишнюю воду можно хотя бы частично отвести с участка с помощью дренажей и таким образом улучшить его микроклимат, то с другими эффектами, также связанными с водой, придется смириться. Близость участка к крупному водохранилищу, реке, озеру повлияет на сезонные явления в саду. Весна в таких местах затяжная и холодная (это очень «не нравится» плодовым деревьям), а осень – туманная и теплая.

Теплое защищенное место

Так в садоводческой литературе называют наиболее благоприятное для нежных посадок место на участке. Что же такое теплое защищенное место?

Во-первых, это уголок сада, защищенный от холодных северных ветров зданиями или плотными посадками, лесным массивом. В безветренном уголке сада не должен застаиваться сырой воздух.

Во-вторых, это хорошо освещенное место, так как в нашем климате в солнечных местах значительно теплее, чем в тенистых уголках.

В-третьих, это дренированное, относительно сухое и потому опять же теплое место.

В саду намеренно формируют такие места, загораживая их от северного ветра, поднимая вертикальные отметки площадки с уклоном на юг, дренируя участок и т. п.

Коррекция микроклимата

Микроклимат участка можно моделировать, подправлять, приближать к некоему оптимуму в данной местности и при данных обстоятельствах. Так, дренированные участки становятся суше и теплее. То же происходит и при создании южного уклона территории или при окультуривании тяжелой глины путем внесения песка. Количество больших деревьев и садовой растительности регулируют таким образом, чтобы участок хорошо освещался и прогревался.

Благоприятный микроклимат способствует не только нормальному росту растений, но и хорошему самочувствию людей. Участок с «идеальным» микроклиматом в средней полосе России можно описать как теплый, защищенный от холодных северных ветров, умеренно влажный без застоя воды, с достаточным освещением. При изучении микроклимата конкретного участка необходимо определить его нынешнее состояние с вызвавшими его причинами и наметить возможные пути улучшения.

ПОЧВА

Изучение состава и состояния почвы во многом определяет не только ассортимент растений будущего сада, но и стратегию ее обработки, выбор технологии строительства, в том числе тип садовых покрытий. Правильная стратегия обработки и дальнейшего содержания почвы позволяет значительно улучшить ее состав и повысить плодородие. Почва – главная ценность садового участка.

Тип почвы

Наиболее широко распространены в средней полосе дерновые, дерново-подзолистые, серые лесные, черноземные и болотистые почвы. Первые четыре прекрасно подходят для декоративного садоводства. Болотистые, оглеенные почвы наименее благоприятны для произрастания растений. Кроме того, такие влагонасыщенные почвы часто являются *пучнистыми*, т. е. при промерзании зимой их вспучивает. Садовые покрытия на такой почве необходимо укладывать на усиленную подготовку (бетонная стяжка), а фундаменты садовых построек специально укреплять.

Торф не является почвой, так как не содержит минеральной составляющей (глины, песка и пр.), и требует серьезных усилий по его окультуриванию. Торфянистые почвы и рыхлые насыпные грунты являются «слабыми» почвами, которые также обусловливают усиленную подготовку под садовое мощение.

Механический состав

Механический состав почвы зависит от размера слагающих ее минеральных частиц.

Мелкие частицы глинозема слагают глинистые почвы. В зависимости от содержания глины они бывают тяжелыми, среднетяжелыми и суглинистыми. Такие почвы называют тяжелыми из-за трудности их обработки. Глинистые почвы холодные и влажные, плохо пропускают воду и воздух. Более крупные частицы песка слагают песчаные и супесчаные почвы. Эти почвы называют легкими. Они сухие и теплые, водо- и воздухопроницаемые.

Механический состав почвы косвенно определяет почти все ее основные характеристики, поэтому окультуривание почвы в первую очередь заключается в изменении ее механического состава.

РЕЛЬЕФ

Рельеф участка бывает ярко выраженным, что означает видимый невооруженным глазом уклон более 10% (т. е. перепад в 10 см на погонный метр). Неярко выраженный рельеф можно условно назвать плоским, учитывая, что идеально плоских участков не существует.

Уклон

Уклонение участка от более высоких точек к более низким измеряется приборами и обозначается как процент (показывающий перепад высот в сантиметрах на погонный метр) или в градусах по отношению к горизонтали.

Естественный рельеф

Существующий на участке рельеф не всегда является естественным. Часто в процессе строительства на участок высыпают много извлеченного из-под фундаментов грунта. Бывает, что дополнительный грунт завезен давно, еще до начала строительства.

Однако чаще все-таки встречаются участки с естественным рельефом. Естественный рельеф участка требует максимального сохранения, поскольку, как правило, является результатом водного стока. Нарушение этого стока приведет к застою воды и заболачиванию территории. Поэтому естественный рельеф только «обрабатывают» методами ландшафтного строительства, придавая ему более сглаженные, пологие, удобные для людей и растительности очертания.

РАСТИТЕЛЬНОСТЬ

Лес
Земельные участки с лесными деревьями называют *облесенными*. Деревья переписывают по породному составу и определяют *бонитет* (качество) каждого экземпляра. В дальнейшем проект озеленения таких участков должен предусматривать сохранение и восстановление в той или иной мере природного состава растительности. В ландшафтном дизайне принято не вырубать лесные деревья, а по возможности использовать их в оформлении сада. Например, молодые березы пересаживают на газон, где из них формируют «рощицы».

Порубочный билет
Все деревья, произрастающие на приватизированном (частном) участке, принадлежат государству (местному лесничеству). Самовольно не разрешается вырубать даже подрост лесных деревьев, а учет компенсационной стоимости при вырубке начинается с диаметра ствола 1 см. Диаметр ствола деревьев принято измерять на высоте 1 м 30 см.

Разрешение на вырубку деревьев в связи с изменениями в Лесном кодексе РФ выдается местной администрацией (соответствующим отделом). После подачи заявки и выезда на место специалиста-дендролога составляется ведомость с перечислением деревьев, подлежащих вырубке. В графе «компенсационная стоимость» напротив каждого экземпляра выставляется сумма, подлежащая уплате. После оплаты счета выдается порубочный билет – распоряжение о разрешении на вырубку перечисленных в ведомости деревьев. После вырубки проверяющий из администрации или представитель местной экологической милиции фиксирует соответствие количества вырубленных деревьев порубочной ведомости.

Существующие посадки

Необходимо провести инвентаризацию существующих посадок. Для этого составляется список, где первыми перечисляются деревья с указанием породы, высоты, возраста и состояния. Затем так же, но с указанием количества экземпляров одного вида или сорта переписывают декоративные кустарники, лианы, ягодные кустарники и травянистые многолетники. Существующие посадки могут и должны органично вписаться в новый облик сада, а кустарники, лианы и травы желательно использовать как готовый посадочный материал.

ОСВЕЩЕННОСТЬ

Естественная освещенность участка определяется в ясный солнечный летний день. Хорошо освещенные уголки сада видны сразу. А вот затененные места требуют более тщательного изучения.

Тень и полутень

Полная тень, куда никогда не попадают прямые лучи солнца, бывает с северной стороны строений, в узких прогонах между домом и забором, с северной стороны густых лесных массивов. Места, где прямое солнечное освещение бывает не более 6 часов в день, называют полутенью. Различают *утреннюю*, или восточную, *полуденную* и *вечернюю*, или западную, *полутень*. Утренняя полутень – это самое благоприятное освещение для нежных влаголюбивых растений. Полуденная полутень «захватывает» самые жаркие часы дня – здесь будут хорошо расти светолюбивые и засухоустойчивые растения. Вечерняя полутень устроит большинство теневыносливых и неприхотливых растений. Ажурная, пятнистая, мозаичная тень образуется под деревьями и кустарниками с неплотными сквозистыми кронами – ивами, соснами, березами, лиственницами, вишнями, лещиной.

Ориентация участка по сторонам света

Простой походный компас поможет справиться с этой задачей. На планах и чертежах ориентацию участка по сторонам света изображают в виде стрелы, указывающей на север.

ОКРУЖАЮЩИЙ ПЕЙЗАЖ

Окружающие участок пейзажи (если таковые просматриваются) могут стать частью сада, если их не закрывать высокими заборами, постройками и посадками. Такой прием называют *заимствованием дальнего вида*. Красивые виды фотографируют с наиболее выгодной точки и указывают на плане сада, откуда именно они видны. В будущем на это место встанет беседка или скамейка. Этот прием называется *закреплением красивого вида*.

Красивым видом может стать вид на поле, лес или реку, на величественное взрослое дерево или холм, на деревенскую улицу или на закатное солнце.

ГЕОДЕЗИЯ. ГРАНИЦЫ УЧАСТКА

Геодезическая съемка устанавливает точное местоположение объектов на участке. Геодезическая съемка позволяет точно определить границы землеотвода, нанести на план деревья (такая съемка называется *подеревная*), важные объекты (люки, мачты освещения и пр.).

Границы участка устанавливаются землеотводом и записаны в виде кадастровых таблиц с пронумерованными точками, углами и координатами этих точек. Выносить границы участка «в натуру» имеют право геодезисты из Земельного комитета, Кадастрового бюро, обладающие лицензированным правом на этот род деятельности.

Точки обозначаются металлическими забетонированными колышками. При производстве строительных работ, в процессе благоустройства и пр. хозяин должен заботиться о сохранности этих колышков – меток.

ТОПОСЪЕМКА

Топосъемкой называют процесс и результат измерений высотных отметок участка. Топосъемку производят относительно уровня Балтийского моря в так называемой Балтийской системе высот. На ландшафтных планах применяют масштаб топосъемки 1:200 (проводят горизонтали через каждые 20 см по высоте), реже 1:500 (проводят горизонтали через каждые 50 см по высоте).

Повышенная точность измерения связана с тем, что при проведении ландшафтных работ ошибка в 10 см по высоте приводит к значительным затратам материалов (грунта) для выравнивания площадок. По этой причине топографическая съемка, производимая для ландшафтных работ, имеет большую плотность точек. Чаще всего для ландшафтных целей производят так называемую *топографическую съемку с элементами геодезии*, т. е. когда помимо высот и горизонталей (линий, проведенных через точки с одинаковой высотой) на плане указывают местоположение основных существующих объектов (зданий, деревьев, границ и пр.).

СЪЕМКА

Съемкой называют процесс и результат измерения параметров участка. Для замеров и вычерчивания масштабного плана применяют разные методы съемки, например, метод треугольника или метод координат. Съемку производят рулеткой. Замеры тщательно записывают и хранят на случай возможных вопросов или неясностей.

ФОТОФИКСАЦИЯ. ПАНОРАМНАЯ СЪЕМКА

Фотоаппарат — самый беспристрастный свидетель. Он фиксирует то, что часто не замечает исследователь участка. Кроме того, фотографии первоначального вида участка до начала ландшафтных работ пригодятся позже, например, при сопоставлении его прежнего вида с новым прекрасным обликом. Также в практике строительных и ландшафтных фирм принято производить фотофиксацию так называемых скрытых работ (траншеи с проложенными электрокабелями, стыки дренажных труб, разводка ливневой канализации, ямы для посадки плодовых деревьев и пр.).

С определенной точки участка выполняется серия перекрывающихся (налегающих друг на друга) снимков. Видоискатель располагают так, чтобы в кадр попадала линия забора (линия границы) участка с видимыми за этой линией объектами (лес, соседние дома и пр.). После распечатки снимки склеивают и получают *круговую панораму участка*. Желательно иметь ранневесеннюю и летнюю панораму.

Зимой, когда садовод обычно планирует будущее переустройство, благоустройство участка, такие снимки бывают большим подспорьем в работе.

ГЕОПОДОСНОВА

Геоподосновой называют масштабный план участка со всеми границами, существующими и планируемыми строениями, въездами и входами, а также с подземными инженерными коммуникациями (канализация, телефонный кабель, подводка природного газа, емкости для топлива, контуры заземления и пр.). Геоподоснова также содержит топографическую съемку участка с горизонталями и высотными отметками. Геоподоснова создается при оформлении участка в собственность и разметке границ, при начале строительства, проведении коммуникаций.

Канализация

Трасса канализации проходит на большой глубине (1,5–1,7 м). По действующим СНиПам деревья можно сажать не ближе 1,5 м от трассы канализации.

Заземление

Контуры заземления обычно располагаются неглубоко (0,5–1 м) и могут быть повреждены при глубокой вспашке, перекопке. При подготовке к земляным работам места расположения контуров заземления огораживают и перекопку производят вручную, под контролем уполномоченного ответственного (бригадир, комендант, представитель технадзора).

Кабель

На геоподоснове указаны трассы телефонного и электрокабелей. При посадке дерева расстояние до линии трассы должно быть не менее 2 м, кустарника – не менее 0,7 м.

Обременение

Обременением называют наличие на территории участка объектов, юридический статус которых выходит за рамки «частной приватизированной территории». Например, по некоторым частным участкам проходит так называемый пожарный проезд к соседним домам. На линии этого проезда нельзя возводить строения, сажать деревья, рыть водоемы и пр. Лучшим решением в этом случае является газон. Также по частным участкам проходят поселковые трассы инженерных коммуникаций, на них располагаются пожарные водоемы, люки общей поселковой канализации и т. п.

МАСШТАБНЫЙ ПЛАН

Масштабный план содержит изображение участка в уменьшенном виде, пропорциональном указанному масштабу. Обычно на масштабном плане участка указаны существующие объекты, но если тот или иной объект планируется удалить (снести старую постройку, убрать сухое дерево и пр.), то эти объекты заведомо не наносят на масштабный план.

Наиболее удобный и распространенный рабочий масштаб в ландшафтном дизайне 1:100, реже используется и менее удобен 1:200. Проекты цветников, деталей сада, небольших композиций и растительных групп выполняются в масштабе 1:50 и 1:20.

Строения и ландшафтные объекты. Зоны сада

Не все сооружения на участке относятся к компетенции ландшафтного дизайнера. Ландшафтными объектами не являются жилые здания, технические постройки – гаражи, бани, хозблоки, инженерные сооружения (генераторные) и коммуникации (канализация, глубинный дренаж), относящиеся к жилым зданиям, ограждения и заборы, сложные спортивные сооружения (теннисный корт, площадка для стритбола и т. п.). Эти постройки и сооружения входят в компетенцию специалистов строительного профиля. Все остальные объекты, расположенные на территории участка, можно считать ландшафтными.

ДОМ

Стиль, образ будущего сада зависит в первую очередь от главного здания на участке – жилого дома. Несколько необязательных к выполнению, но полезных правил помогут безошибочно выбрать этот образ.

Простота дома должна отразиться в простоте участка.

Архитектурный стиль дома определяет стиль сада – парадный регулярный или романтический пейзажный. Отделочные материалы, использованные при оформлении фасада дома, нужно применить и в саду – это свяжет дом и сад в единое целое. Интерьеры дома – просторные и светлые залы или анфилады маленьких уютных комнат – должны найти свое отражение в планировке «живого интерьера» сада.

Когда мрачный каменный «замок» окружают светлым легким ажурным садом, то здесь проектировщик работает как бы в противовес главному зданию. Ниже в качестве примера приведено несколько распространенных типов построек.

Бунгало

Этот тип жилых построек имеет только один этаж, поэтому такое здание как бы «растекается» по участку. Отлично смотрится на облесенных участках. В качестве окружающего ландшафта для бунгало больше всего подходит природный сад.

Коттедж

Собирательный образ разнообразных по стилю жилых зданий. Несмотря на внешние различия, эти постройки имеют одну общую черту. Они расположены на непропорционально малых по площади участках и буквально стоят «плечом к плечу», поэтому дизайнеру приходится размещать сад в узких прогонах между домом и забором. Такие «сжатые» сады насыщены деталями, цветовыми пятнами, малыми архитектурными формами, чтобы отвлечь внимание от стесненного пространства.

Дача

Воспроизводит образ старой деревянной дачи конца XIX – начала XX века. Многие современные землевладельцы строят дома в этом традиционном архитектурном стиле. Ему «к лицу» уютный простой без особых затей сад с яблонями, флоксами, пионами и другими старинными цветами.

Усадьба

Образ дворянского гнезда проглядывает во многих современных строениях. Колоннады и классические портики, благородные фасады тяготеют к тяжеловесному старинному регулярному саду с клумбами и беседками.

ЗАБОР

К сожалению, капитальные сплошные заборы стали неотъемлемой частью современного загородного быта. Этот крупный строительный объект виден из любой точки сада и, если не принять мер, будет доминировать на участке. Если речь идет о выборе типа и материала забора, то здесь можно высказать только два пожелания. Во-первых, забор должен гармонировать с домом и остальными постройками. Во-вторых, существует некая оптимальная с точки зрения ландшафтного дизайна конструкция забора.

Ленточный фундамент

Оптимальная (рекомендуемая) конструкция забора исключает сплошную преграду в виде кирпичных секций и ленточного фундамента. Из-за сплошных секций участок плохо проветривается, а весной и осенью свободная циркуляция воздуха необходима – она способствует борьбе с сыростью. Ленточный фундамент препятствует стоку воды, вызывая заболачивание. Лучше всего выбрать забор на от-

Рис. 1. Лучший вариант — забор на отдельно стоящих столбах с «дышащими» секциями

Рис. 2. Ограждение из сетки-рабицы

дельно стоящих кирпичных столбах и с навесными «дышащими» секциями из дерева.

Сетка

Заборы из сетки, проветриваемые, не затеняющие участок, экономичные и легкие в монтаже и содержании, уместны там, где вопросы охраны периметра участка отходят на второй план. Например, по границе с дружелюбными и приятными соседями. Такие заборы обсаживают кустарником, и спустя несколько лет они совершенно не видны.

Металлический штакетник

По своим характеристикам этот тип забора аналогичен сетке, только это более дорогой и красивый вариант.

Рис. 3. Металлический штакетник

ВХОДНАЯ (ВЪЕЗДНАЯ) ЗОНА

Входная зона охватывает калитку, ворота, парадное крыльцо, ворота гаража и всю территорию, прилегающую к этим объектам. Неприглядные объекты (генераторную станцию, например) желательно замаскировать посадками. Входную зону обычно оформляют парадными композициями из опрятных, стабильно декоративных, устойчивых растений. Традиционно это хвойные, цветущие кустарники, живые изгороди.

Эта зона требует тщательно продуманной подсветки.

Рис. 4. Использование окружающих объектов в качестве «базы» для подсветки входной зоны

ХОЗЯЙСТВЕННАЯ ЗОНА

В этой зоне сосредоточены летние души, сараи, туалеты, компостные ящики. На небольших участках под нее лучше отвести один из углов, совместив с аналогичными постройками соседей. На крупных участках могут быть разные варианты размещения подобных объектов, но всег-

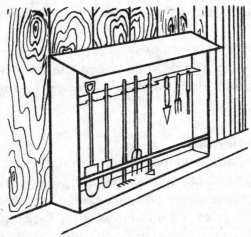

Рис. 5. «Настенный» хозблок

да нужно учитывать удобство прохода и проезда (например, тачки) к этим местам сада.

Сарай

Сарай часто используется в качестве хранилища для садового инвентаря и механизмов. Тачки, газонокосилки, удобрения, лопаты занимают слишком много места, чтобы разместиться в гараже или на террасе. Хорошо, если сарай оборудован стеллажами для хранения инструментов и оборудования, где все вещи находятся на виду и легко доступны.

Компост

Для приготовления садового компоста потребуется организация места компостирования.

На обширных участках сельского типа скошенную траву и листья можно складывать в бурты, кучи, проливать водой и биопрепаратами и через два сезона получать хороший компост. Для более подробного ознакомления с технологией компостирования необходимо изучить специальную литературу. В коттеджных поселках, таунхаусах такой способ компостирования неуместен. Лучше воспользоваться имеющимися в продаже ящиками-контейнерами из пластика, с вентиляционными решетками, лючками для изъятия готового компоста и прочими приспособлениями.

Для компостирования выбирают тенистое, не затопляемое талыми водами укромное место вдали от жилой зоны, но ближе к источникам сырья – декоративному саду и огороду.

Контейнеры для мусора

Контейнеры для мусора предназначены для отходов, не поддающихся компостированию, например для упаковки. Контейнеры размещают вблизи входа-въезда на участок, откуда проще и быстрее изъять мешок с мусором. Обычно контейнеры стоят на мощеной площадке 2–4 м^2 и отгорожены от сада, парадного двора деревянной Г-образной ширмой.

ЗОНА ПЛОДОВОГО САДА

Под нее отводят самое освещенное, дренированное, высокое место на участке.

Настоящий плодовый сад требует специального ухода и содержания. Для него выбирают только районированные в данной местности сорта, размещают деревья на расстоянии 5–7 м друг от друга.

Наиболее удобно ухаживать за плодовыми деревьями, если они высажены рядами, в шахматном порядке, с учетом ярусности. Ярусы плодового сада устроены так, что более высокие породы (груши, яблони сортов Антоновка, Белый налив и др.) не затеняют более низкие (сливы, вишни, яблони сорта Мелба и др.).

Огород

Современный огород может быть устроен по образу и подобию французских декоративных огородов, напоминающих красочные партерные цветники. Нарядные салаты, зеленные культуры, луки, пряные травы высаживают на грядах разнообразной формы, украшают вазонами, решетками. В огороде нелишне установить навес, стол для обработки овощей, рассады, подвести воду, установить емкости для отстоя и прогрева воды. Гряды окантовывают обрезной доской, брусчаткой. Дорожки в огороде отсыпают песком, галькой, предварительно постелив геотекстиль, препятствующий росту сорняков.

Теплица

Теплицу размещают на солнечном дренированном месте. В нее проводят воду для полива, электричество для подсветки и обогрева. Современный ассортимент теплиц позволяет выбрать оптимальную по размеру конструкцию. Теплица может быть пристенной (пристроена к южной стене дома, сарая, гаража).

Вместо хрупкого стекла сейчас все чаще применяют различные виды пластика, пропускающего ультрафиолетовые лучи. Ухоженные, опрятные теплицы являются украшением садового участка.

МЕСТА ДЛЯ ОТДЫХА

В этой самой важной зоне сада сосредоточены беседки, площадки, зеленые лужайки и соответствующее растительное убранство, где все подчинено одной цели – расслаблению, умиротворению, отдыху.

В северном климате при проектировании мест для отдыха в первую очередь необходимо задуматься о защите от непогоды (ширмы, навесы). С другой стороны, наша прекрасная природа хороша в любое время года, и правильно организованное место для отдыха позволит, оставаясь на свежем воздухе, быть защищенным от неприятных сюрпризов.

Совершенно необязательно размещать здесь яркие цветники, так как отдыху более всего способствуют спокойные пастельные тона цветов и оттенки зеленого цвета. Расслаб-

Рис. 6. Садовый павильон

ляющее воздействие оказывает водная гладь, мозаичная тень, здоровая жизнерадостная листва декоративно-лиственных растений. Вечер – наиболее важное время суток для этой зоны. Особенно тщательно здесь должна быть продумана вечерняя подсветка, материалы мощения.

Павильон

Павильоны максимально защищают людей от превратностей сурового российского климата. Эти постройки закрыты со всех сторон стенами с остекленными дверными проемами с двойным зимним остеклением. Павильоны отапливаются в холодное время года и служат прекрасными убежищами и в летнюю непогоду. Летом павильоны открывают, распахивая двери. Чаще всего павильоны «работают» столовыми, домашними кабинетами или гостиными.

Беседка

Из всего разнообразия беседок, предлагаемых современной строительной индустрией, желательно выбрать наиболее практичную, гармонирующую с садом и домом по стилю, отделке, материалам и размерам. Беседки открыты для свежего воздуха (и комаров), поэтому хороши только

Рис. 7. Беседка в укромном уголке сада

в теплое время года. Беседки, расположенные на возвышении (на холме, в высокой части сада) позволяют любоваться открывающимися красивыми видами. Беседки, расположенные в гуще посадок, под яблонями или березами, в укромных уголках сада, позволяют насладиться уединением и покоем.

Навес

Навесы пристраивают к свободным стенам построек. Они не очень хорошо защищают от летнего дождя и ветра, но позволяют укрыться от палящего солнца. Деревянный, матерчатый или пластиковый навес успешно выполнит свою функцию, если будет надежно закреплен и не поломается от порывов ветра и дождя. Во многих садах установлены очень удобные металлические конструкции, обтянутые тканью – «маркизы».

Пергола

Популярное сооружение, способное как выполнять декоративную функцию, так и служить местом отдыха в саду. Пергола представляет собой череду соединенных между собой арок – чаще из дерева, но иногда и из металла. Перголы могут иметь Г-образную и П-образную форму, встречаются дуговидные и кольцевые сооружения, а также длинные извивающиеся перголы китайского типа. Первоначально перголы являлись тенистыми проходами по жарким египетским садам, для чего их увивали лианами.

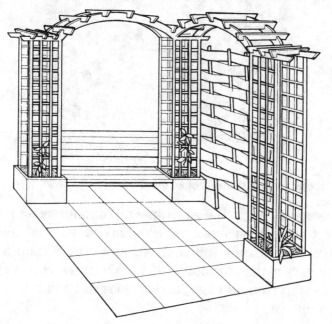

Рис. 8. Деревянная пергола со скамейкой и ящиками для цветов

Итак, увитая лианами легкая, ажурная пергола может стать прекрасным местом для отдыха, с учетом того, что эта «южанка» лучше защищает от палящего солнца, чем от дождя и ветра.

Зонт

Садовые зонты крепятся на площадках для отдыха и террасах. Они условно защищают от непогоды и являются неплохой защитой от солнца. Большие тяжелые зонты необходимо прочно закрепить на площадке с помощью анкерных болтов, иначе при порывах ветра они не только поломаются, но могут поранить людей и повредить различные садовые устройства.

Площадка

Мощеные площадки в тех или иных местах сада предназначены для установки садовой мебели – шезлонгов, кресел, скамеек.

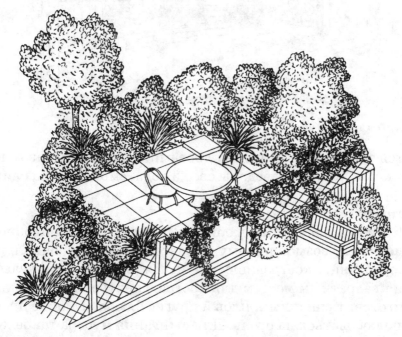

Рис. 9. Площадка для отдыха

Камин садовый

Садовые жаровни, барбекю, шашлычницы строятся в виде печи с вытяжной трубой и встроенными или пристроенными столами, разделочными поверхностями, раковинами, скамьями, ящиками. Обычно такие устройства располагаются под навесом и находятся не ближе противопожарного расстояния (15 м) от зданий и сооружений. То-

Рис. 10. Садовый камин

пятся такие камины углем, дровами, природным газом из баллонов. К ним подведены свет и вода, смонтирован слив.

Костровище

Если ваш заказчик – любитель путешествий и походной романтики, возможно, ему придется по душе специально оборудованное костровище – мощеная площадка с круглым или квадратным местом для костра в центре. Здесь можно приготовить шашлык, плов и другие блюда, а также просто полюбоваться на огонь. Для сжигания мусора такое костровище не подходит, так как неистребимый запах и ядовитый дым несовместимы с приготовлением пищи.

ДЕТСКАЯ ПЛОЩАДКА

Детская площадка должна выполнять свою главную функцию – предоставлять ребенку интересное и увлекательное занятие на достаточно продолжительное время.

При этом детская площадка должна быть организована так, чтобы максимально обезопасить ребенка в процессе игры и прогулки. Большое значение имеет материал покрытия площадки. Чаще применяют резиновые коврики типа «регупол», газонную траву, песок, мелкую гранитную крошку.

Площадку для маленьких детей размещают вблизи дома, напротив окон кухни или столовой. Дети постарше будут рады игровым домикам, шалашам, площадкам в ажурной тени деревьев. Детской площадке не место в глубокой сырой тени леса, у ворот, вблизи гаражей, у водоема.

Качели

Детские качели изготавливают самостоятельно, заказывают мастеру или покупают готовые. Прочность и безопасность — главные требования к качеству качелей. Из этих соображений высота качелей определяется в зависимости от возраста ребенка.

Песочница

Ошибочно думать, что песочница представляет интерес только для детей младшего возраста. В отделанной деревянными спилами большой песочнице площадью 6–8 м² с удовольствием играют дети и взрослые — такой объем песка позволяет строить «города», прокладывать игрушечные железные дороги, сооружать песочные скульптуры и пр.

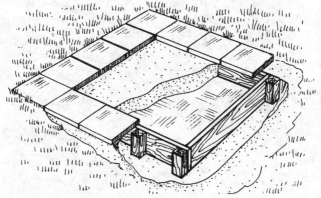

Рис. 11. Устройство песочницы

Рис. 12. Игровой комплекс с горкой

Под слоем песка в песочнице закладывают щебеночный дренажный колодец, а песок покупают мелкий, чистый, без включения камней и глины.

Горка

Катальные горки разнообразных конструкций очень нравятся непоседливым детям. Как и качели, горка должна быть прочно закреплена.

Шалаш

Дети подросткового возраста любят путешествия, даже если путь лежит всего лишь в глубину сада. Построенный

Рис. 13. Шалаш

Рис. 14. Игровой домик на сваях

с помощью взрослых, но своими руками шалаш создает атмосферу дальнего похода и потому часто становится излюбленным местом летнего времяпрепровождения.

Домик

Игровые домики имеют вид избушек, беседок, сказочных замков. При наличии крупного дерева игровой домик можно разместить на высоте 2–3 м над землей. Можно приобрести готовый пластиковый домик в детском торговом центре, а можно изготовить из дерева, тщательно отслеживая качество его обработки.

СПОРТИВНАЯ ЗОНА

Размещение этой зоны подчинено только соображениям удобства. Турники и шведские стенки для утренней зарядки располагают вблизи дома, под защитой оград и посадок. Для игры в футбол, волейбол выделяют свободное, лишенное посадок игровое пространство на газоне. Для баскет-

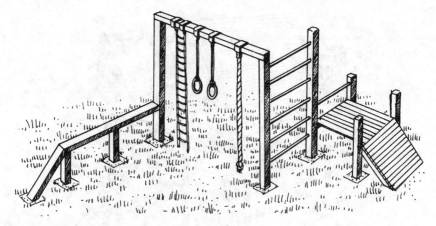

Рис. 15. Турник

больного кольца нужна стена (гаража, сарая) с ровной площадкой для броска.

ПРОГУЛОЧНАЯ ЗОНА. МОЩЕНИЕ

В этой зоне размещены коллекции растений, проложены прогулочные дорожки с дальними и ближними видами. Именно здесь сосредоточены разнообразные дизайнерские причуды, живописные водопады и яркие цветники.

Под садовым мощением подразумевают садовые дорожки и площадки, которые часто именуют дорожно-тропиночной сетью.

Дорожки

Садовые дорожки бывают четырех типов.

Входные дорожки делают шириной 1,5–2 м – они соединяют вход на участок с парадным крыльцом. Эти дорожки должны быть хорошо освещены.

Соединительные дорожки имеют ширину 1 м – они соединяют дом с наиболее важными и посещаемыми постройками (баня, кухня, сарай, туалет) и потому проектируются и прокладываются почти «по прямой», по возможности без крутых поворотов и изгибов.

Рис. 16. Дорожки с подсветкой в прогулочной зоне

Прогулочные дорожки делают шириной 0,5 м – именно они вьются по саду, выводя к наиболее красивым и интересным местам.

Хозяйственные дорожки соединяют сарай и хозблок, ведут от огорода к компостному ящику или к калитке в лес.

Развязки

Соединение двух или трех дорожек между собой или стык дорожек с придомовой площадкой называют *дорожной развязкой*. Соединение дорожек с площадками лучше всего производить под прямым углом, даже если дорожка приходит к точке слияния под острым или тупым углом, по косой. В местах соединения двух и более дорожек иногда целесообразно устроить площадку, чаще круглую.

В первую очередь дорожные развязки должны быть удобны для прохода, и лишь при этом условии можно думать о декоративности того или иного решения.

Автомобильная площадка

Проектирование автомобильных площадок, заездов, разворотных кругов и стоянок – очень ответственная часть проекта. Легковые автомашины способны совершать поворот по оптимальному радиусу 6 м. Если площадь перед въездом в гараж мала, для проверки той или иной версии заезда и разворота можно совершить пробный маневр на автомашине. Стоянку для гостевых автомашин можно расположить и за пределами участка, огородив эту площадку низким заборчиком (из штакетника или цепей) со шлагбаумом или легкими воротами.

На автомобильных площадках и дорогах используется тротуарная плитка толщиной не менее 70 мм. Под мощением устраивается бетонная стяжка. Можно замостить площадку «газонной» плиткой с отверстиями для посева травы.

ГАЗОН

Газон – самый распространенный вид садового покрытия. Поскольку он является одной из дорогостоящих позиций в устройстве сада, разумнее выбрать именно тот тип газона, который в наибольшей степени отвечает ситуации, потребностям и возможностям хозяев. На одном участке может быть разбито несколько типов газонов.

Партерный

Устаревшее и частично утратившее смысл название самого высококачественного газона из тонких газонных

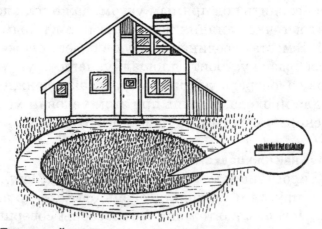

Рис. 17. Партерный газон

трав. Сорняки в таком травостое отсутствуют, а точнее, их количество по общепринятым стандартам качества газонов не превышает 5% от площади газона. Нежные и капризные партерные газоны не выдерживают хождения и игр, разбиваются в самых парадных местах резиденций и дворцово-парковых ансамблей. В практике современного озеленения практически не используются.

Обыкновенный

Обыкновенным называют высококачественный газон из травосмеси как тонких, так и грубых (райграс) газонных трав. Обыкновенный газон сочетает в себе красоту и качество партерного газона с устойчивостью, прочностью спортивных лужаек. Лучшие обыкновенные газоны претендуют на звание партерных, но из-за присутствия небольшого количества грубых широколиственных газонных трав, придающих устойчивость к вытаптыванию, не могут быть к ним причислены. Это обстоятельство нисколько не умаляет как статуса обыкновенных газонов, так и их цены, поскольку именно эти газоны удовлетворяют основным требованиям современного землевладельца и находят широкое применение в практике зеленого строительства.

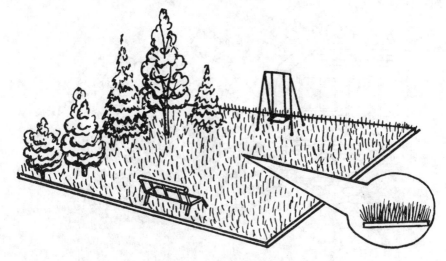

Рис. 18. Обыкновенный садово-парковый газон

Спортивный

Травосмеси, используемые для создания спортивных лужаек, содержат значительный процент грубых газонных трав, придающих газону большую устойчивость к вытаптыванию и повреждениям. Однако это не означает, что спортивные газоны могут выдержать любую нагрузку. Для повышения «стойкости» лужаек под спортивным газоном устраивают дорогостоящий щебеночный дренаж, используют лучшие газонные почвосмеси, тщательно ухаживают за игровым полем.

Луговой

Травяные лужайки, созданные на месте луговин и полян, с большой примесью сорной растительности и луговых трав, клевера, называют луговыми газонами. Большинство обширных парковых лужаек относятся именно к этой категории. Они вполне уместны на просторах парков, в крупных усадьбах, городских насаждениях.

Регулярное кошение сдерживает рост разнотравья, повышает процент злаков в травяном покрове, и этого условия вполне достаточно для устойчивости и декоративности этого типа газонов.

Рис. 19. Луговой газон

Рис. 20. Мавританский газон

Мавританский

Смесь семян злаков и цветущих однолетних и двулетних трав при посеве образует пеструю цветочную поляну. Кошению эти «газоны» не подвергают ради сохранения цветущих растений, и со временем, обычно на второй-третий год, мавританские лужайки превращаются в заросли сорняков. Этот тип газонов можно рассматривать как своеобразный временный цветник и не отводить под него большие площади.

ВОДА

Вода в естественном ландшафте играет огромную декоративную роль. Обилие водных объектов — рек, ручьев, прудов, озер — вдохновляет дизайнеров на создание искусственных водоемов как художественного воплощения этой всепроникающей природной стихии.

Водоем

Садовые водоемы различаются размерами, глубиной, формой и материалами, использованными для гидроизо-

Рис. 21. Садовый водоем с плавучими лампами

ляции. Крупные водоемы – пруды – бывают обвалованными (с земляным валом по линии берега для предотвращения переполнения пруда при паводке). На садовых участках береговая линия чаще ровная, а водоем оснащен щебеночным переливным колодцем.

Вода в садовых прудах бывает стоячей (такие водоемы чаще «зацветают») и текущей, движущейся. Движение воды обеспечивает электрический насос, а в декоративном плане такое водное устройство оформляют как водопад или ручей. Таким образом, вода движется по замкнутому кругу, по пути обогащаясь кислородом и остывая, что отчасти препятствует «цветению».

Гидроизоляцией наиболее часто служит поливинилхлоридная (срок службы 10 лет) или бутилкаучуковая (срок службы 30 лет) пленка.

Каскад

Водный каскад или водопад создают на небольшом всхолмлении, часто образованном грунтом, вынутым из котлована водоема. На дне водоема устанавливают насос, подающий воду в высокую точку каскада. Оттуда вода самотеком стекает со ступени на ступень, имитируя горный поток. Раскладкой камней моделируют звук текущей воды, добиваясь приятного звучания. Дно каскада по пути течения воды прокладывают пленкой.

Ручей

Садовый ручей имитирует естественный, поэтому все технические детали устройства тщательно маскируют. Насос подает воду в высокую точку ручья, а затем по руслу вода самотеком стекает в нижний резервуар, где расположен насос. Берега ручья обсаживают характерной растительностью – осоками, японской примулой, ирисами.

Фонтан

Фонтаны разнообразной конфигурации и высоты – элемент регулярных садов и композиций. В продаже имеется как профессиональное оборудование для фонтанов (фонтанные установки), так и продукция любительского уровня сложности. Для фонтана потребуется соответствующая по размеру водная чаша, чтобы вода не разбрызгивалась и возвращалась обратно в водоем.

Рис. 22. Садовый водоем с фонтаном

РОКАРИЙ

Композиция из камней и растений имеет множество вариаций. Благодаря такому разнообразию внешнего облика рокарию можно найти место практически на любом участке. Более того, с помощью рокария можно решить многие неприятные проблемы сада, связанные с огрехами вертикальной планировки. Рокарии размещают в месте перепада высот, на стыках газона и мощения, у лестниц и цоколей.

Осыпь

Рокарий, имитирующий горную осыпь, разбивают на достаточно крутых склонах. Желательно предусмотреть закрепление «осыпи» с помощью крупных укрепленных на месте валунов, отсыпок бутового камня, почвопокровных посадок.

Плоскость склона отсыпают декоративной галькой и высаживают разнообразные засухоустойчивые растения.

Рис. 23. Композиция из растений и камней в японском стиле

Плоский рокарий

На плоских участках не всегда возможно устроить горку, холм, возвышение для размещения террасированного рокария, зато можно устроить композицию из плоских камней с особо декоративной верхней поверхностью. Растения высаживают в щели между камнями. Для такого рокария достаточно перепада высот от 10 до 30 см.

Ущелье

Имитация горного ущелья с помощью исполинских валунов практиковалась в пейзажных садах XVIII века. Скалистые уступы, поросшие кустарником и деревьями, производят на людей завораживающее впечатление. «Карабкающиеся» по поверхности камней растения, трогательные цветущие травы еще более усиливают суровую, аскетичную красоту таких композиций.

Альпинарий

Коллекция альпийской флоры, размещенная в искусственных условиях, имитирующих природные, называется альпинарием. В большинстве своем «альпийцы» – неприхотливые растения, но имеются виды чрезвычайно требовательные к влаге, свету, температуре воздуха, составу почвы, толщине снегового покрова, влажности воздуха и пр. Цветение такого растения – цель, мечта и гордость каждого коллекционера.

ПОСАДКИ

Аллея

Рядовая посадка деревьев характерна для регулярных садов с древних времен. Высаженные таким образом деревья создают тенистый проход, облегчающий дорогу путникам. В пейзажных садах аллея является элементом регулярного стиля. Она придает садам четкость и упорядоченность. В небольших садах для создания аллей применяются кустарники, штамбовые розы и даже высокие травы. Аллея из причудливо изогнутых, наклоненных берез, многоствольных ив имеет подчеркнуто природный, живописный вид. Напротив, от выверенных до сантиметра рядов штамбовых лип веет строгостью регулярного парка.

В современных садах аллеи создают из рябин, калин, лещины и часто подбивают ряды древесных пород бордюрами из почвопокровных многолетников. Например, аллея из калины обыкновенной, подбитой баданом, или из рододендронов на «ковре» из тиарки.

Опушка

Оголенные стволы высоких деревьев декорируют ярусными посадками из молодых деревьев, кустарников, травянистых многолетников. В природе такой пояс из растительности называется опушкой, и так же называется прием озеленения. Опушки бывают красочными (из рододендронов, кленов, шиповников) или сдержанными, естественными (из жимолостей, бересклетов, деренов, рябин).

Солитер

Выдающиеся по декоративным качествам породы, сорта, отдельные экземпляры деревьев, кустарников и травянистых многолетников высаживают на лужайках так, чтобы растение обозревалось со всех сторон. Такие посадки называют солитерами (одинарами). В качестве солитеров используют хвойные, яблони, ивы, гортензии, спиреи, крупные злаки.

Бордюр

Термином «бордюр» в дизайне сада обозначают любую окантовку, обрамление растениями ландшафтных объектов, создание из растений форм, линий. Бордюрами часто называют низкие стригущиеся или свободнорастущие живые изгороди из кустарников. Этот же термин используют для вытянутых вдоль дорожек или по плоскости газона цветников. Бордюром назовут и рядовую посадку вдоль дорожки злаков, хост или почвопокровных растений.

Тротуарная плитка с закругленными углами позволяет плавно изгибать дорожки. Комбинация черного, серого и желтого тона плитки создает эффект солнечных пятен даже в пасмурную погоду. Подмосковье. Дизайн: А. Чагин

Смена рисунка и направления мощения оформлена в виде декоративной вставки-дуги. Подмосковье. Дизайн: А. Чагин

«Ковер» мощения выполнен из клинкера, бетонных плит и керамической плитки, уложенной на ребро

Садовый павильон на берегу реки. Подмосковье

Современная садовая беседка из окрашенного бетона и дерева

Деревянная пергола-тоннель отсекает взгляды на сад со стороны прилегающего жилого массива. В перголе высажен бордюр из щучки дернистой 'Bronzeschleier'. Из перголы открывается вид на гравийный сад. Подмосковье. Дизайн: Е. Черняева

Сложные по конструкции трельяжи из дерева собирают из отдельных деталей, которые могут быть изготовлены по разной технологии

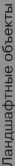

Вмонтированное
в подпорную стену
водное устройство
с тройным водопадом
из медного листа
оживляет игрой воды
и солнечными бликами
затененный
и заниженный
палисадник.
Подмосковье.
Дизайн: Е. Черняева

Время и влажность
завершили работу
над этой скульптурной
композицией — кошка
и забор слились
в единое гармоничное
целое

На садовой лужайке размещены два дерева-солитера. Великобритания

Величественная парковая группа с пурпурнолистным буком и подбивкой рододендронами. Великобритания

Декоративная опушка березовой рощи в золотых тонах из деренов, спирей, жимолости, карликовых елей, земляники мускусной. Мощение выполнено из тротуарной плитки ЭДД 3.6 серого и черного цветов рисунком «березка». Подмосковье. Дизайн: Е. Черняева

В результате вертикальной планировки участка жаркий сухой южный склон закреплен камнем и превращен в гравийный сад — иридарий. Подмосковье. Дизайн: Е. Черняева

Анфилада металлических арок благодаря вертикальному озеленению превратилась в торжественный вход в дизайнерский сад. Великобритания. Визли. Сад Пенелопы Хобхауз

В тени деревьев, по краю проезжей поселковой дороги живая изгородь из обычного, несортового дерена белого — отличный выбор. Окантовка из полубруса с пропиткой превращает изгородь в современную композицию

Чтобы огород радовал глаз, достаточно сделать аккуратные гряды с окантовкой и обустроить дорожки. Гряды разной длины просто вписаны в отведенное место, а овощные культуры снабжены этикетками

Уютный сад из контейнеров украшен подходящим мощением и вертикалями хвойных. Великобритания. Визли

Эффектный контраст. Ошеломляющая осенняя окраска бересклета крылатого поддержана зеленью вяза мелколистного, хосты и ивы. Подмосковье. Дизайн: Е. Черняева

Нюансная «коллекция» вертикальных соцветий бокконии, лофанта и шалфея привлекает внимание ярким контрастом по цветовому тону. Великобритания. Визли

Нюанс — небольшое отличие по цветовому тону — создает в этой растительной группе ощущение гармонии

Нюансная композиция из лилий и лилейников в родственных цветовых тонах. Великобритания. Визли

Живописные букеты берез на пестром ковре разнотравья подчеркивают контраст природного стиля со строгой геометрией плана. Великобритания

Главная перспектива — виста — с двойным красным миксбордером. Великобритания. Хидкоут. Сад во французском стиле

Садовая виста в виде аллеи с кулисами из деревьев и фокусом — скульптурой

Малая садовая виста длиной 12 м в Белом саду Сиссингхерста. Великобритания

Графика злаков придает цветникам, композициям современное природное звучание. Подмосковье

Графика хвойных в японском саду Главного Ботанического сада РАН. Москва

Цветник в теплой
гамме.
Великобритания.
Визли

Насыщенные тона,
взятые в небольшом
количестве и на фоне
спокойных холодных
ненасыщенных красок,
превращаются в яркие
акценты. Так
работает главный
закон колористики.
Подмосковье.
Дизайн: Е. Черняева

«Эхо» зеленого и красного тонов подчеркивает оригинальность садовой скамьи и продуманный подбор растений в вазоне. Великобритания. Кифтсгейт

Садовая лестница с полукруглыми ступенями «отражается» в округлой форме вазона-контейнера

Входная-въездная зона, построенная по принципу симметрии с использованием парных объектов. Модули в мощении из клинкерного кирпича оформлены растениями-подушками: спиреей 'Goldmound' и окантовкой из спиреи 'Little Princess'. Подмосковье. Дизайн: Е. Черняева

Растения с подушковидной формой кроны, как эта ель черная 'Nana', хороши у края дорожек, лестниц, площадок

Группа

Композиция из растений называется *группой*. Чтобы составить растительную композицию, нужно учитывать следующие декоративные особенности растений:

Главные
• Высота растения и диаметр кроны
• Форма кроны
• Плотность кроны
• Оттенок зеленого в окраске листвы
• Фактура кроны
• Графика

Дополнительные
• Цветение
• Плодоношение
• Окраска коры побегов
• Осенняя окраска листвы

Второстепенные
• Окраска и размер почек
• Красочные весенние ростки
• Оригинальные отцветшие соцветия
• Весенняя окраска молодых листьев

Композиции из растений, или группы, бывают следующих видов:
• *однопородные* – из растений одного вида;
• *сложные* или *смешанные* – из растений нескольких видов и разных жизненных форм, например, из кустарников и трав;
• *древесно-кустарниковые* – из деревьев и кустарников;
• *кустарниковые* – из кустарников;
• *группы из деревьев*;
• *экологические* – приспособленные к определенным условиям обитания;
• *сезонного звучания* – наиболее декоративные в определенное время года;
• *группы с лидирующим солитером* – в которых одно растение значительно превосходит остальные по размеру или возрасту;

Рис. 24. Сложная группа из деревьев, кустарников и многолетников

• *тематические* – посвященные определенной идее, растению, цвету, декоративной листве, сезонному эффекту и пр.;

• *колористические*, или *цветовые* – построенные на сочетании по цвету;

• *одностороннего обзора* – ориентированные на вид с определенной точки;

• *многостороннего или кругового обзора* – рассчитанные на вид со всех сторон.

Цветник

Термин «цветник» мы будем применять к растительным композициям, состоящим из многолетних травянистых растений, а также к композициям из одно- и двулетних растений. В англоязычной литературе этому термину соответствует '*flower border*' или «цветочный бордюр» в буквальном переводе.

Само название указывает на то, что главной темой этой растительной композиции является цветение. Наиболее красочно цветут травянистые многолетники и однолетники (также двулетники), поэтому цветники практически полностью состоят из этих растений. Как правило, в садах средней полосы России цветники из травянистых многолетников в силу совершенно естественных причин разделяются по срокам цветения. Весенний цветник состоит из первоцветов и украшает сад в апреле-мае. В цветнике под тематическим девизом «Июнь» цветут пионы, ирисы, ранние клематисы, герани, луки, т. е. набор растений, пик декоративности которых приходится на начало лета. С июля вступает в пору цветения большинство красивоцветущих травянистых многолетников. Цветник «Вторая половина лета» при правильном подборе растений украшает сад до глубокой осени.

Цветники могут быть колористическими, в одной цветовой гамме (монохромные цветники) или сложной, многоцветной. Экологические цветники приурочены к проблемным местам участка – слишком сухим, переувлажненным, тенистым.

Однолетние растения славятся ярким и продолжительным цветением. Лучше выделить для них отдельный парадный цветник на солнечном месте.

Гравийный сад

Особая форма природной композиции, где, как правило, засухоустойчивые и светолюбивые растения высажены на площадке, засыпанной галькой. Отличается особой декоративностью из-за обилия подушковидных, стелющихся, хвойных, злаковых, луковичных растений.

Миксбордер

Миксбордером (по-английски ‘*mixborder*’, в буквальном переводе «смешанный бордюр») мы называем наиболее естественный, т. е. приближенный к природе способ компоновки растений. В состав миксбордера входят все жизненные формы растений (деревья, кустарники, полукустарники, кустарнички, травы, многолетние, двулетние, однолетние и луковичные растения). Все вместе они образуют стабильную композицию, круглый год демонстрирующую большое количество декоративных эффектов. Преимущество миксбордера перед цветниками состоит в том, что цветники необходимо пересаживать (совмещая этот процесс с делением разросшихся растений) каждые 3–5 лет. Миксбордеры «служат» десятилетиями, требуя лишь частичных пересадок.

В миксбордере древесные формы обеспечивают структуру и стабильность, травянистые растения – красочность цветения. При составлении миксбордера на первый план выходят вопросы совместной посадки, взаимовлияния растений, расстояний при посадке и пр.

Миксбордеры обычно значительно крупнее цветников, достигают в длину 15–20 м и более, в ширину бывают не менее 5–6 м. При таких размерах удается расположить растения правильными ярусами, дать каждому экземпляру достаточно места для роста и развития, предусмотреть проходы в глубину посадок для ухода за растениями.

Большие по протяженности композиции воспринимаются издали, с расстояния 12–25 м, в виде сочетания форм, фактур, графики, цветовых пятен и оттенков зелени. С более близкого расстояния вся композиция миксбордера не может восприниматься как единое целое, так как угол зрения человеческого глаза в горизонтальной плоскости позволяет рассматривать отрезки длиной не более 3–5 м. Поэтому протяженную композицию миксбордера выстраивают как сочетание 3–5 законченных по композиции групп, объединенных в линию миксбордера некой общей идеей, как правило, цветом.

Структурные посадки

Структурные посадки создают долговечную, круглогодично неизменную структуру, или «скелет», сада формами своих крон, очертаниями групп и куртин. Из этого следует вывод, что не все растения можно отнести к структурным. Например, кустарник роза морщинистая не образует четкого куста из-за многочисленных отпрысков, а мелкие

Рис. 25. Древесно-кустарниковая группа

спиреи и низкие стелющиеся хвойные практически не видны зимой из-под снега. Бересклет крылатый, кизильники, боярышники, дерены относятся к устойчивым долгоживущим структурным кустарникам с великолепной зимней графикой.

Однако правильнее было бы все-таки ориентироваться не на зиму как самого беспристрастного «контролера» структуры сада, а на раннюю весну или позднюю осень. В это еще или уже бесснежное время правильный сад может заворожить красотой полупрозрачных древесных побегов, оттенками зелени хвои, неувядающей листвой «вечнозеленых» травянистых растений – баданов, осок, горянок. Это произойдет только в том случае, если декоратор грамотно расположил структурные растения с учетом разных сезонов, сочетаемости растений между собой и учел их требования к свету, влаге и питанию. Таким образом, в узком смысле структурными растениями называют деревья и некоторые кустарники, а в широком смысле к этой функциональной группе относят еще и часть травянистых многолетников, сохраняющих листву до весны.

Это очень важная для наших северных садов группа растений. Ведь у нас почти не растут вечнозеленые лиственные кустарники (падубы, бересклеты и пр.), зато большое количество видов трав зимуют с зеленой и нарядной листвой под теплой снежной «шубой». Такие травянистые многолетние растения выделены в *группу зимнезеленых видов*.

Очень хороши не только летом, но и зимой стриженые живые изгороди и стенки из древесных форм. Это также замечательная разновидность структурных посадок. Они дополнят и завершат картину правильного сада с хорошо сформированной и выразительной структурой.

Живые изгороди

Некоторые виды кустарников и деревьев хорошо поддаются стрижке, образуя при этом из спящих почек массу побегов. При стрижке такие кустарники, высаженные в ряд в виде живой изгороди, сильно ветвятся, образуя кораллоподобную структуру, и долгие годы сохраняют форму. Такие живые изгороди называют *стригущимися*, или *формованными*.

Нестригущиеся живые изгороди создаются из свободнорастущих кустарников или деревьев. Чаще всего это

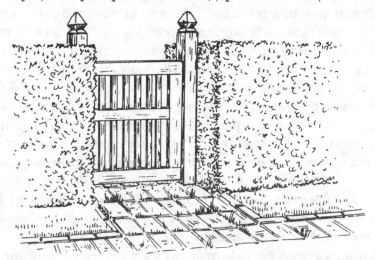

Рис. 26. Живая изгородь

красивоцветущие виды – спиреи, гортензии, розы, рябины. Бордюры или низкие живые изгороди получаются из невысоких кустарников, которые при стрижке вырастают не выше 0,5 м. Живые изгороди средней высоты бывают от 0,5 до 1,4 м. Высокие изгороди имеют высоту от 1,5 до 2 м, а зеленые стены – 2 м и выше.

Комбинированные изгороди состоят из нескольких ярусов (рядов) растений, из смеси разных видов и сортов кустарников, могут включать в себя деревья, топиарную стрижку и пр.

Известна закономерность, позволяющая подобрать вид кустарника для той или иной изгороди. Если высота свободнорастущей формы этого вида составляет, к примеру, 1 м, то высота стриженой живой изгороди из него составит половину высоты нестриженого куста (т. е. 0,5 м). Поэтому для создания бордюров необходимо выбирать кустарники высотой не более 1,2–1,5 м.

Кроме того, у кустарников для низких изгородей должны быть мелкие листья (длиной 2–3 см), так как у бордюров должна быть мелкая, бархатистая фактура.

Вертикальное озеленение

Лианы позволяют задрапировать зеленью вертикальные плоскости стен зданий и сооружений. Такой тип озеленения называют вертикальным. Его преимущество заключается в значительной экономии площади для посадок – лианы довольствуются полосой вдоль здания шириной 30 см. При этом одна лиана способна закрыть плоскость стены площадью до 25 м². Для городов и поселений с плотной застройкой дополнительная зелень, поглощающая пыль, шум, выхлопы, может быть буквально спасением. Бытующие опасения о повреждении стен лианами необоснованны, за исключением случаев, когда внешняя штукатурка, иные стеновые покрытия изначально повреждены (трещины, отслоения) или отделка здания заведомо не приспособлена к покрытию лианами (стекло, декоративные панели, металл). Но и в этих случаях угрозу могут представлять

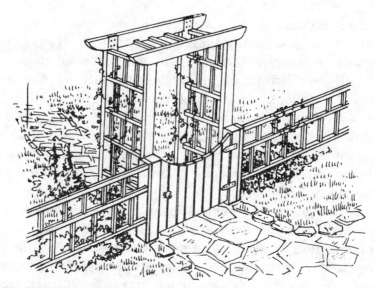

Рис. 27. Забор и калитка из шпалер для лиан

только те виды лиан, которые закрепляются непосредственно на поверхности стены с помощью присосок или воздушных корней. В большинстве случаев лиана, например девичий виноград пятилисточковый, прикрепляется не присосками к стене, а с помощью усиков к системе проволочных опор в виде сетки, отстоящей от стены на 5−10 см во избежание перегрева растения.

Также из лиан создают «живые изгороди», обвивая ими опоры с сеткой, заборы, ширмы. Выбор правильной опоры по размерам, материалу, форме, прочности имеет огромное значение для успешного выращивания лиан.

Контейнерное озеленение

Многие растения, преимущественно с компактными корневыми системами, прекрасно произрастают в контейнерах, вазонах, цветочницах. В нашем климате на зиму контейнеры необходимо укрыть мешковиной, опилками, или вкопать в грунт, или переместить в теплицу, на застекленную веранду и т. п. Специально для выращивания в контейнерах селекционеры вывели невысокие сорта рододендронов, роз, клематисов, хост, лилий с компактны-

Рис. 28. Деревянные контейнеры «кадушка» и «сруб» для растительных композиций

ми корневыми системами. В контейнеры высаживают и сложные композиции из нескольких видов растений.

Контейнерное, или мобильное, озеленение позволяет украсить уголки, непригодные для выращивания растений в грунте, но очень значимые с точки зрения парадного оформления. Это парадные лестницы, террасы, мощеные дворы, автомобильные площадки. При оформлении тенистых уголков растения можно время от времени перемещать к свету «на поправку», а затем возвращать на место.

Почвопокровные посадки

Традиционно к почвопокровным растениям относят невысокие виды, активно размножающиеся вегетативным путем, с помощью подземных и надземных корневищ, надземных столонов — усов, быстро разрастающиеся в стороны. Захватывая пространство, эти виды удерживают почву под собой от проникновения других растений, а в саду — от проникновения сорняков. Почвопокровные растения обладают разной энергией роста, максимальными размерами куртин, скоростью размножения, долговечностью, требуют разных условий выращивания. Большинство почвопокровных растений не выдерживают вытаптывания и потому не могут заменить настоящий газон. Другие виды столь агрессивны и устойчивы, что способны к образованию декоративного напочвенного «газона» площадью в несколько десятков квадратных метров. Это будра плющевидная, лапчатка гусиная, вероника нитевидная, барвинок малый, пупавка благородная, тимьян ползучий.

Современный взгляд на почвопокровную группу позволяет отнести к этой «компании» растения, не образующие зарослей, с коротким корневищем, например, хосты, примулы, астильбы, а также низкие подушковидные (спиреи, барбарисы, шиповники) и стелющиеся кустарники, в том числе хвойные. В плотной посадке, смыкаясь, эти растения способны к образованию плотного напочвенного покрова, препятствующего иссушению почвы и росту сорняков. Часть кустарников (стефанандра, стелющиеся можжевельники) укореняется в узлах побегов, соприкасающихся с землей, что увеличивает плотность и устойчивость напочвенного покрова.

МАЛЫЕ АРХИТЕКТУРНЫЕ ФОРМЫ

Скульптуры, коряги, скамьи, арки, вазоны и прочие украшения сада называют малыми архитектурными формами (МАФ). Наличие МАФ в саду не обязательно, но если уж они есть или планируются, то важнее всего соответствие этих объектов общему стилю сада. Во всем мире принято украшать сад оригинальными, т. е. существующими в единственном экземпляре вещицами, а лучше всего – изготовленными собственными руками. Традиционно в саду размещают «трофеи» из интересных путешествий, ручные поделки, вышедшую из употребления и нашедшую новое применение кухонную утварь, коллекции камней, леек, цветочных горшков, лопат и пр.

К МАФ относят и строительные объекты, например, лестницы, подпорные стены, если они обладают признаками «произведения искусства», т. е. отличаются от стандартных вариантов. С тем же успехом к МАФ можно отнести оригинальные по материалам и исполнению детские игровые комплексы, садовые домики, объекты геопластики, водные устройства.

Вазоны

Садовые, или ландшафтные, вазоны принципиально отличаются от горшков для комнатных растений. Диаметр ландшафтного вазона по верхней окружности обычно не менее 60–70 см. Комнатный керамический горшок нельзя оставлять в саду на зиму — рано или поздно его разорвет скопившейся на дне и замерзшей водой. Ландшафтные вазоны изготавливают из так называемой шамотной глины (с примесью обожженной глины) или из бетона, металла, камня, пластика, дерева. Такие вазоны (контейнеры) можно оставлять зимой в саду.

Классические садовые вазоны изготавливаются по образцам средиземноморских амфор и сосудов для хранения и перевозки зерна и масла. В диаметре они достигают 1 м, в высоту – до 1,5 м. Такие вазоны устанавливают на специ-

Рис. 29. Вазон амфора у дорожки, выложенной римской кладкой

альные подставки для облегчения стока воды из дренажного отверстия. Очень красива японская садовая обливная керамика (на зиму лучше заносить в помещение), современные металлические вазоны, «ящики». В продаже имеются бетонные вазоны, удачно имитирующие натуральный камень. Выпускают низкие плоские вазоны для высадки суккулентов, низких трав, а также высокие и узкие горшки для выращивания растений с мощными корнями. Некоторые вазоны хороши сами по себе, без растений. Для большей устойчивости их наполняют керамзитом, песком или мелкой галькой.

Скульптура

Традиционно в садах устанавливают классическую «мраморную» скульптуру. Грациозные нимфы, увитые колосьями и цветами «времена года», природные стихии в виде дев и юношей и прочие романтические фигуры подходят только классическим, хорошо продуманным, ухоженным садам, где статуи буквально «оживают». В неподходящем месте скульптура выглядит комично и теряет свой романтический образ.

Для веселых, непринужденных сельских садов имеется свой набор «нимф» в виде матрешек, соломенных кукол и расписных буренок.

В экологических, натуральных садах роль скульптур выполняют живописные коряги, старые деревья, грациозные злаки, мшистые валуны, а также вошедшие в моду причудливые блестящие металлические или стеклянные «артефакты» — шары, капли, гирлянды.

В садах японского стиля роль скульптуры отведена выразительным камням.

Трельяжи

Трельяжами называют деревянные решетки разнообразной конструкции. Они служат для разделения сада на «зеленые комнаты», маскировки неприглядных объектов и нежелательных видов, создания декоративного фона цветников и композиций. Таким образом, трельяжи вовсе не являются опорами для лиан, хотя часто выполняют и эту функцию. Красивый, аккуратно сделанный трельяж хорош сам по себе, и его не нужно скрывать лианами. Если же трельяж будет лишь опорой для вьюнов, то не стоит его тщательно отделывать, зато следует позаботиться о прочности и долговечности. Трельяжи с крупной сеткой выглядят более легкими, ажурными, с мелкой – напоминают восточные ширмы, дробящие жаркие лучи солнца на мелкую россыпь зайчиков. Деревянные изделия в садах принято красить в классические «садовые» цвета – серо-синий, серо-зеленый и белый.

Арки

Легкие ажурные проходы над дорожками разделяют сад на «зеленые комнаты», а также перекрывают нежелательные виды. Именно поэтому арку устанавливают в строго определенном месте. Арки бывают металлическими, деревянными, плетеными из лозы. Сложные замысловатые конст-

Рис. 30. Арка над дорожкой

рукции с встроенными цветочницами, сетками для лиан устанавливают в парадных местах. Пейзажным садам больше подходят простые арочные конструкции из металла или дерева. Ширина арки должна быть не менее 1,5 м.

Поилки для птиц

Традиционная разновидность МАФ, кроме всего прочего, выполняющая благородную задачу помощи братьям меньшим. В жаркую сухую погоду множество птиц отметят своим посещением заботливо наполненную водой поилку. Поилки бывают самого разного вида – каменные на пьедестале, металлические, подвешенные на цепочках к опоре, бетонные. В любом случае они приподняты над землей для защиты от кошек и служат неким фокусом интереса в саду.

Солнечные часы

Также традиционное, но неизменно вызывающее всеобщий интерес садовое украшение со смыслом. Детям будет очень полезно узнать, что время определяют не только по мобильному телефону. Настоящие солнечные часы изготавливаются мастерами для каждого сада под заказ и могут показывать не только время суток, но и месяц. Дизайн солнечных часов необычайно разнообразен, встречаются настоящие шедевры, произведения искусства, и поистине это одно из самых прелестных садовых устройств.

Ландшафтная композиция. Принципы и методы

Понятие красоты с трудом поддается теоретической расшифровке, поэтому проще говорить о гармонии – соответствии полученного результата имеющимся представлениям о красивом, привлекательном, достойном.

Достичь гармонии можно, выполнив ряд условий, описываемых в классической литературе как методы и принципы композиции. Построение ландшафта как объемно-пространственной композиции не только подчиняется общим правилам, но и имеет свои особенности. В этой главе мы рассмотрим приемы создания композиции сада во всех подробностях.

Композицией называют группу разнородных объектов, объединенных общим художественным замыслом (идеей) таким образом, что эта группа воспринимается как единое гармоничное целое. Известны универсальные приемы создания композиций, общие для любой области архитектуры и искусства. Однако в ландшафтных построениях используются и особые приемы, свойственные лишь этому виду творчества.

Методы создания ландшафтной композиции (как воплощение упомянутой объединяющей идеи) будут рассмотрены последовательно, друг за другом. Каждый из методов достаточен для создания завершенной композиции, но в одном случае они могут быть применены раздельно, а в другом – все вместе или в комбинации по два-три.

СИММЕТРИЯ И АСИММЕТРИЯ

Еще в древнем мире было хорошо известно, что симметрия – универсальный метод создания композиции. Архитектура большинства общественных зданий и жилых построек основана на симметрии фасадов, а именно идентичности правой и левой частей композиции относительно некой гипотетической оси симметрии. В природе симметричные построения не встречаются, поэтому любая композиция, построенная по этому принципу, резко выделяется на фоне природного окружения. *Симметричные композиции* являются идеально уравновешенными, сбалансированными и поэтому производят умиротворяющее, спокойное и в то же время торжественное впечатление.

Асимметричные композиции, то есть построенные по принципу асимметрии, будучи разделенными на две половины гипотетической срединной осью, имеют неравнозначные, разные правую и левую части. Однако и такие композиции могут и должны быть гармоничными (красивыми). Для этого композиция должна быть уравновешенной относительно некой срединной оси таким образом, чтобы правая и левая половины привлекали одинаковые доли внимания наблюдателя.

Также несимметричными могут быть и геометризированные построения, например, композиции из квадратов и прямоугольников.

В современных садах из-за недостатка площади распространены именно такие композиции, где в строгих геометрических фигурах плана высажены разнообразные растения в регулярном или пейзажном (живописном) порядке. В первом случае композицию нужно назвать строго регулярной, а во втором – с элементами пейзажного стиля.

Регулярные сады

Сады, построенные на симметрии геометрических фигур плоского плана, называют регулярными. Такие сады впервые появились в Древнем Египте, о чем свидетельствуют сохранившиеся настенные росписи. Египетский сад представлял собой правильную квадратную или прямоугольную площадку, окруженную высоким забором, с прямоугольным или квадратным водоемом в центре и высаженными по периметру рядами деревьев (обычно это финиковые пальмы).

До XVIII века в мире господствовал регулярный стиль планировки, основанный на геометрических фигурах — квадратах и прямоугольниках, оси симметрии и прямом угле. И сегодня симметричный регулярный сад заслуживает внимания и как дань прошлому, и как гармоничное и уравновешенное стилевое направление ландшафтного дизайна.

Метод создания композиции, названный нами «симметрия», распространяется не только на общую планировку сада, но и на решение отдельные его частей, деталей и размещение малых архитектурных форм.

Парные объекты

Так называемые парные объекты — пара вазонов или карликовых елочек конической формы по краям крыльца — удачный пример симметричной композиции. Такие пары у входа в сад, в начале садовой лестницы, у крыльца, по краям садовой скамьи издали обращают на себя внимание и сигнализируют об особой значимости отмеченных элементов сада.

В качестве парных принято использовать объекты высокого декоративного качества. Например, карликовые хвойные, формованные и стриженые растения, хосты и рододендроны в вазонах, скульптуру, посадочный материал деревьев и кустарников высшей категории качества.

РАВНОВЕСИЕ И БАЛАНС

Известно, что разные объекты привлекают разное количество нашего внимания. Подсознательно человек выделяет в окружающей его картине мира следующие объекты: слишком яркие (красные цветы) или слишком темные (хвойные растения), самые блестящие (глянцевая листва), движущиеся (вода) или имеющие причудливую форму (вертикали туй, можжевельников, камни, коряги). Также привлекает внимание группа мелких дробных объектов (рокарий), грубая фактура (трещины коры дуба, крупные листья кленов и хост). Эти объекты привлекают много внимания и в смысле установления равновесия всей композиции трактуются как «тяжелые». Объекты, воспринимающиеся как «легкие» (не привлекают пристального внимания), окрашены в светлые тона и имеют ажурную крону (березы, ивы, сосны). К «легким» относятся обширные плоскости газона, мощения, воды, гравия, мелкофактурные объекты (с мелкой листвой). Справа и слева от некой гипотетической «оси» в асимметричной уравновешенной композиции должны быть такие объекты и в таком количестве, чтобы доля внимания по обеим сторонам этой «оси» была одинаковой. Для этого высаженный дуб («тяжелый» объект) уравновешивают 5–7 березами или обширной травяной лужайкой.

Баланс – метод и результат «выравнивания» композиции по объемам.

Для достижения баланса в композиции увеличивают или уменьшают площадь покрытия гравием или травой или увеличивают количество самых мелких (некрупных, невысоких) растений.

КОНТРАСТ И НЮАНС

Метод контраста подразумевает создание композиции из объектов с противоположными, резко отличными качествами. Объекты, таким образом, взаимно дополняют друг друга, образуя композицию, где их противоположные свойства иллюзорно усиливаются в сравнении. Например, светлая и «легкая» береза в сравнении с плотной, темной «тяжелой» елью кажется еще невесомее.

В художественной композиции более распространен *направленный контраст* – продуманное и намеренное обыгрывание определенных свойств выбранного объекта. Например, ажурную крону березы хорошо «оттеняют» низкие стелющиеся можжевельники (такой контраст называют вертикальным), высокие хвойные (горизонтальный контраст), темные гранитные валуны.

Метод направленного контраста позволяет выявить такие интересные особенности ландшафтных объектов, на которые люди обычно не обращают внимания.

Нюанс – более тонкий прием, обыгрывающий не разницу, а сходство объектов. По этому принципу сооружают, например, альпийскую горку. Так называют композицию из валунов разных размеров и подушковидных стелющихся растений, формой напоминающих камни. Контраст «живое – мертвое» и нюансные формы объектов образуют восхитительную картину. Злаковая композиция или коллекция кленов могут обыгрывать нюансы цвета, форм, графики.

ПРОПОРЦИЯ И ПРОПОРЦИОНАЛЬНОСТЬ

Пропорция – математическое понятие, характеризующее соотношение размеров, объемов двух и более сопоставляемых объектов. Пропорциональные объекты гармоничны. Они легко образуют композицию.

Зодчие античности выявили математическую закономерность, позволяющую создавать пропорциональные объемы в архитектуре, – *принцип золотого сечения*. Он применим к любым построениям, в том числе ландшафтным. В упрощенном виде принцип золотого сечения гласит: разделяй отрезок на пропорциональные части как $1/_3$ к $2/_3$. Например, при установке деревянного трельяжа на секцию кирпичного забора замер вертикального отрезка (высота забора) и горизонтального отрезка (ширина секции) при разделении по принципу золотого сечения даст величину трельяжа.

При определении размеров пергол, толщины опор, размера тротуарной плитки на дорожках, высоты деревьев и кустарников, объемов растительности учитывается пропорциональность проектируемых объектов размеру участка, дома, окружающему ландшафту.

МАСШТАБНОСТЬ И МАСШТАБ

Масштабность – соответствие размеров, объемов проектируемых объектов размерам в первую очередь человеческой фигуры. Поэтому высота арок, пергол и потолка беседок не может быть менее 2,2–2,4 м.

Оптимальная, удобная для человека ширина дорожек колеблется от 0,5 до 1 м.

Дорожки особого назначения (не прогулочные), например, от калитки к входу в дом, лучше сделать шириной 2 м, так чтобы там могли разойтись насколько человек, возможно, с вещами, сумками и пр.

В ландшафтной архитектуре соблюдается правило, не позволяющее переносить размеры интерьеров в сад. Семья из пяти человек может разместиться на пятиметровой кухне, но площадка для отдыха такого размера в саду неприемлема. Площадь таких «садовых столовых» должна быть не менее 20 м², чтобы можно было отодвинуть стул и выйти из-за стола, обойти стол, не мешая другим людям. При этом площадь и размеры упомянутых ландшафтных объектов связаны с размерами всего участка (пропорциональны ему) в меньшей степени, чем соразмерны масштабу человеческой фигуры. В случае каких-либо сомнений выбор делается в пользу удобства человека. Девиз ландшафтного дизайнера звучит так: «Качество. Удобство. Красота», – и именно в этой последовательности.

Ширина пергол, садовых арок и проходов в стенах, изгородях должна быть не менее 1,5 м. В том случае если позволяет площадь сада, ширина арок может быть увеличена до 2–3 м. Более крупные конструкции могут быть громоздкими для небольших садов, они гораздо уместнее в городском и парковом благоустройстве.

Садовые лестницы обычно имеют гораздо большую ширину ступеней, чем интерьерные. Оптимальная ширина садовой лестницы – 1,5 м, но это лишь нижняя граница. В крупных садах широкие многометровые лестницы спускаются на газоны, словно морские волны. Высота подступенка у садовой лестницы также ниже, чем принято в интерьерах. Обычно высота подступенка 7–15 см. Ширина проступи садовых лестниц тоже шире принятых в интерьере 30 см и может исчисляться метрами.

ДОМИНАНТА И ПОДЧИНЕННЫЕ ЭЛЕМЕНТЫ

В композиции, где присутствуют несколько объектов, один из них может доминировать по размеру, цвету, отделке и другим параметрам. Главный объект как бы объединяет между собой подчиненные ему элементы композиции.

Доминантой ландшафтной композиции могут быть самый большой или самый выразительный валун в рокарии, самый яркий, плотный кустарник в миксбордере или группе, обширная лужайка в саду, величественное дерево на поляне и т. п.

Композиции, лишенные главного объекта, часто невыразительны. Исправляет положение введение в композицию того или иного недостающего звена.

ЛИНЕЙНАЯ ПЕРСПЕКТИВА

Линейная перспектива – природное явление, подчиняющееся законам физики (оптики), которое было открыто и описано в XV веке. Благодаря линейной перспективе объясняется искажение реальной картины мира человеческим глазом. Все горизонтальные линии мы видим сходящимися в некой точке горизонта. Если местность понижается, то эта точка располагается ниже *линии горизонта*, а если повышается, то выше *линии горизонта*.

Из-за этого форма лужаек, цветников и водоемов искажается. Квадраты и прямоугольники превращаются в трапеции, круги – в овалы, а более сложные фигуры претерпевают трудно поддающиеся описанию изменения.

Наблюдаемые размеры объектов в линейной перспективе уменьшаются пропорционально расстоянию по мере удаления от наблюдателя.

Таким образом, воздействие линейной перспективы сказывается на форме и размерах объектов.

Иллюзии

Грамотно используя явление линейной перспективы, проектировщик может иллюзорно расширить границы участка. Для этого на первых планах, вблизи видовых точек, размещают растения с крупными листьями (клен остролистный, липа, хосты, гортензии, дерены и пр.). На дальних планах размещают растения с мелкой, рассеченной листвой, хвойные, злаки.

Растения, расположенные ближе к наблюдателю, можно взять более взрослыми, высокими. Те же виды, но размещенные на дальнем плане, берут помоложе, поменьше ростом. Разница в высоте сохранится на долгие годы, образуя оптический «обман». Для этой же цели газону придают трапециевидную, бутылковидную форму с сужением на дальнем конце.

Виста

Художники-пейзажисты пользуются законами линейной перспективы для придания своим произведениям реалистичности. Театральные художники создают с ее помощью объемные, глубокие пространственные декорации. И конечно, ландшафтный дизайнер должен уметь учитывать линейную перспективу в своих проектах, а также пользоваться ею как методом построения ландшафтной композиции.

Композиция, построенная по законам линейной перспективы, называется вистой, что в переводе с итальянского означает «красивый вид». Глубокая, многослойная пространственная перспектива позволяет наблюдателю насладиться видами садовых пейзажей с самых выгодных точек. Нет ничего прекраснее, чем хорошо организованная и оформленная глубокая перспектива.

Привлекая терминологию живописцев и театральных декораторов, строение висты можно описать следующим образом. Кулисы первого плана, расположенные ближе всего к наблюдателю, играют роль зеленой рамы (багета) пейзажной картины. Далее в следующих, более удаленных от наблюдателя пространственных слоях располагаются кулисы второго и третьего (четвертого и т. п.) планов. Венчает висту ее фокус – наиболее удаленный, но самый интересный объект. Им может быть необычное дерево, беседка, холм, вид на поле или лес, цветники или скульптура.

Протяженность вист может быть различной – от 4 км в крупном парке до 3 м в маленьком частном саду.

Интересная виста – настоящее украшение сада, его главная неоспоримая достопримечательность. Хороший дизайнер может насытить вистами даже самый маленький садик.

Формы газонов

Проектирование вист непосредственно связано с формами газонов – открытых свободных от построек и посадок лужаек.

В классическом ландшафтном дизайне известно менее десятка распространенных и любимых форм газонов:

- лентовидный газон;
- фасолевидный газон;
- прямоугольный газон;
- квадратный газон;
- амебовидный газон.

Их немного, потому что в линейной перспективе читаются только самые простые геометрические формы (фигуры). Более сложные, тем более причудливые, искажаются

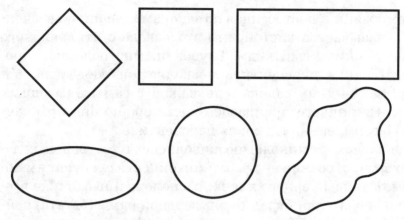

Рис. 31. Формы площадок для газона

линейной перспективой до полной неузнаваемости и потому практически не применяются.

Часто проект участка начинают именно с выбора формы газона, а также вариантов расположения этого объекта на участке. Большой выбор вариантов (диагональное расположение, или под небольшим углом к дому, или на центральной оси дома и т. д.) позволяет создавать большое количество предложений, чтобы затем выбрать наилучшее из них.

СВЕТОТЕНЬ

В отличие от интерьера, восприятие ландшафтных композиций непосредственно зависит от условий и особенностей естественного освещения.

В России, как и во многих странах Северного полушария, бывает мало ясных солнечных дней. Преобладают дни с облачной, пасмурной погодой. Поэтому ландшафтные композиции должны быть рассчитаны на так называемое рассеянное освещение – с неярким светом и размытыми контурами теней.

Для сравнения: даже в Британии, а уж тем более в Италии, в году бывает до 250–300 ясных солнечных дней, и особенности естественного освещения там иные. В этих стра-

Рис. 32. Изменение восприятия скульптурного объекта при разном освещении

нах отлично смотрятся деревья и кустарники с мелкой листвой, хвоей, неглубокий рисунок барельефов, лепки, резьбы. Контуры декора подчеркивает светотень – граница между освещенной и затененной частями объекта.

В средней полосе России в связи с преобладающим рассеянным освещением рассчитывать на такую четкую светотень не приходится, поэтому здесь лучше смотрятся объекты с грубой фактурой поверхности: деревья с крупной листвой, хосты, трещиноватая кора, грубая резьба, выпуклый декор. Например, в саду очень хорошо заметны камни с грубой изломистой поверхностью (лучше, чем гладкие валуны), крупный окатыш, почвопокровные растения с относительно крупными листьями – живучка, пахизандра и пр.

Ошибкой будет расположить в саду вазон с тонким плоским декором (рисунком) поверхности – его просто не будет видно. В наших условиях очень важно тщательно продумывать сочетание растений в композициях по листве, не забывая использовать виды с крупными листьями. В противном случае посадки сольются в одну сплошную зеленую массу.

Очень оживляют наши северные сады декоративные решетки из дерева – трельяжи. Их грубая фактура необыкновенно украшает сад, в том числе в самые «трудные» сезоны – поздней осенью, зимой, ранней весной.

Контуры теней от разнообразных садовых объектов могут образовать на газоне причудливые картины.

ДИНАМИКА И СТАТИКА

В форме, очертаниях объектов может содержаться некая «иллюзия движения». Эту иллюзию называют динамикой. Например, как бы струящиеся ниспадающие ветви плакучих ив напоминают движение падающей воды в водопадах. Садовая скульптура, изображающая, например, бегущих животных или движущихся людей, также является динамичной. Динамичны извивающиеся линии садовых дорожек, очертания газонов и цветников, мощеных площадок. Волнообразные и зигзагообразные линии воплощают соответственно волнообразное и зигзагообразное

Рис. 33. Динамичный изгиб дорожки, вымощенной тротуарной плиткой

Рис. 34. Статичные очертания и водная гладь бассейна

движение. Динамичны изгибы пергол, вертикали хвойных, плавные или резкие повороты дорожек. Динамичные композиции или уголки сада подходят для активного отдыха, например, прогулки.

Статичные построения основаны на прямой или горизонтальной линии, оказывающей на человека умиротворяющее, успокаивающее воздействие. Статичны плоские поверхности лужаек, гладь водоема, живые изгороди. Статичные композиции или уголки сада располагают к созерцательному отдыху, расслаблению.

ЦВЕТ

Ландшафтные композиции, построенные на цвете, называют *колористическими*. Обычно дизайнеры используют так называемые колористические схемы, разработанные и опробованные предшествующими поколениями садоводов. Бесспорным гением садовой колористики признана английская художница начала XX века Гертруда Джекилл. Она является автором книги «Колористические схемы для вашего сада», выдержавшей десятки переизданий с момента написания и сегодня являющейся настольной книгой миллионов садоводов.

Исследование цвета как физического явления выявило несколько важных его характеристик.

Цветовой тон

Цветовой тон определяется длиной световой волны. Он имеет общеупотребительное название – зеленый, синий и т. д. Оттенки основного тона часто также имеют общеупотребительные названия – салатовый, табачный и пр. В цветовом круге тона, находящиеся друг напротив друга, называют *контрастными* (желтый и фиолетовый, синий и оранжевый, красный и зеленый). Контрастные по тону, эти сочетания часто встречаются в садах. *Среднеконтрастные* сочетания располагаются в цветовом круге через один (синий и красный, желтый и красный, фиолетовый и зеленый). Тона, располагающиеся рядом, называют *родственными* (желтый и оранжевый). Они образуют неконтрастные мягкие гармоничные сочетания.

Насыщенность

Насыщенностью называют количество растительного пигмента, содержащееся в лепестках цветков. Ее выражают в процентах по отношению к полной насыщенности. Как правило, оранжевые, красные тона являются насыщенными и содержат максимально возможное количество пигмента. Ненасыщенными считаются голубые, фиолетовые, сиреневые, розовые тона и оттенки. По правилу колористики в композиции насыщенные тона должны присутствовать в меньшем по площади количестве, а ненасыщенные – в большем, т. е. доминировать.

Светлота

Светлота – ахроматическая (т. е. не связанная с цветовым тоном) характеристика объекта, выражающаяся в определении его светлоты по отношению к белому образцу. Проще определить светлоту как всей композиции, так и отдельных ее компонентов, сфотографировав ее на черно-белую пленку. Объекты, выделяющиеся на фотографии как темные (черные, серые) и светлые (белые, светло-серые), контрастируют друг с другом, образуя в композиции так называемый *светлотный контраст*. Светлотный контраст придает композициям выразительность, объем. Темными объектами являются хвойные, кустарники и травы с темно-зеленой листвой, темные валуны, фиолетовые, малиновые, красные цветы. Светлыми объектами являются кустарники, деревья и травы со светло-зеленой, золотистой, белоокаймленной листвой, белые, желтые, голубые, розовые цветы.

Гамма

Цветовые тона, ассоциирующиеся с водой, снегом, называют холодными, а весь спектр таких тонов и оттенков – *холодной гаммой*. К ней относят синие, фиолетовые, розовые, сиреневые, голубые тона и оттенки. С теплом и светом ассоциируются тона и оттенки *теплой гаммы* – желтый, оранжевый, красный.

Также имеются желтые и красные тона как в теплой, так и в холодной гаммах. Белый цвет также бывает теплым (кремовый) и холодным (серебристый).

Теплая и холодная гаммы контрастны в композициях. Удачнее выглядят цветники только в холодных или только в теплых тонах, без контраста по «теплоте».

ФОРМА

Разнообразие форм объектов, в первую очередь растений, позволяет ландшафтному дизайнеру создавать неисчислимое количество сочетаний разной степени выразительности. Форма растений чаще описывается термином *габитус*, включающим в себя всю совокупность признаков, деталей строения, особенностей облика. Габитус растения может изменяться в процессе его роста и развития, и этот фактор также учитывается при составлении композиции.

Форма кроны

Этот термин используют при описании габитуса деревьев и кустарников. Форма кроны – видовой признак растения, т. е. генетически обусловленный. Известны деревья и кустарники с особенно выразительными формами крон, например, березы, клены, дубы, ивы, ели. Композиции, построенные на сочетании форм крон – один из наиболее эффектных приемов в ландшафтном дизайне. В литературе форма кроны описывается определениями, принятыми для трехмерных геометрических фигур – коническая, узкоконическая, шаровидная, или по аналогии с известными объектами – яйцевидная, веретенообразная, шатровидная. Кустарники обладают сноповидными, каскадными, подушковидными формами крон. Лучше всего форму кроны растения передают хорошо выполненные рисунки.

Плотность кроны

Плотность кроны деревьев и кустарников зависит от густоты ветвления и облиствения и относится к видовым характеристикам растения. Кроны древесных пород бывают плотными и ажурными. Как правило, сквозистыми кронами обладают светолюбивые породы, а плотные характерны для теневыносливых. В ландшафтных композициях сопоставление пород с отличающейся плотностью крон придает посадкам особую выразительность. Плотные кроны создают ощущение устойчивости, тяжеловесности, а ажурные на их фоне как будто «парят», демонстрируя легкость и воздушность.

ГРАФИКА

Применительно к растениям принято говорить о *графике ветвления*, что означает как особенности строения и роста ветвей в ботаническом смысле, так и выразительность рисунка ветвления. Есть породы деревьев и кустарников, отличающиеся особой красотой или оригинальностью гра-

Рис. 35. Плакучая ива возле домашнего бассейна

фики ветвей, например, барбарис Тунберга или плакучие ивы. Графика ветвей особенно выразительна в зимний период, когда древесные породы лишены листвы. Говорить о графике можно и применительно к травянистым растениям, если речь идет о злаках и других аналогичных растениях, как правило, с узкими метельчатыми соцветиями – шалфеях, котовниках, верониках.

ФАКТУРА

Фактура описывает свойства поверхности объектов. Так, поверхность крон древесных пород с крупной листвой может быть описана как *грубофактурная*, например, у клена или конского каштана. *Мелкофактурной* кроной обладают хвойные породы, ивы, березы. «Бархатная» фактура стриженого тиса является наилучшим фоном для колористических цветников.

В растительных группах желательно сочетать разнофактурные породы. В континентальном климате России преобладают породы с мелкой листвой (хвоей), поэтому включение в композицию грубофактурных акцентов (широколиственных пород) придает посадкам более выразительный вид.

Также говорят о фактуре листа растения. Она бывает матовой, блестящей, лоснящейся, войлочной, бумажистой, т. е. определяется по аналогии с известными материалами – тканью, кожей и пр. Принято сочетать листья разной фактуры, обращая внимание наблюдателя на разнообразие листвы растений.

В практике ландшафтного дизайна применяются материалы, обладающие разнообразной фактурой – дерево, металл, гравий, натуральный камень, тротуарная плитка и пр. Разнообразие фактур в саду – эффектный прием, позволяющий придавать садам большую натуралистичность, естественность.

ГЕОПЛАСТИКА

Геопластикой называют моделирование рельефа участка, а именно создание новых объемно-пространственных форм рельефа сада. Новый рельеф сада может имитировать «мягкие» холмистые или «резкие» горные природные ландшафты или, наоборот, иметь геометризированные, подчеркнуто искусственные очертания. Такие построения называют *геопластическими формами*. Наиболее распространенные геопластические формы описаны ниже.

Вал

Валом называют возвышение рельефа, имеющее в плане вытянутую, узкую лентовидную форму. Его часто применяют в садах для отделения одной части сада от другой, т. е. для создания обособленных «зеленых комнат». Например, невысокими валами отделяют придомовый палисадник от проезжей части у домовладений, не имеющих внешнего ограждения. Также вал позволяет при «обработке» ярко выраженного рельефа избежать слишком высоких, громоздких подпорных стен.

Вал декорируют растениями, натуральным камнем, через него проводят дорожки со ступенями-лестницами, украшают почвопокровными и стелющимися растениями, светильниками, водными устройствами.

Амфитеатр

Амфитеатр имеет кольцевую структуру из замкнутых или разорванных террас-ступеней. Это древний прием землеустройства, применявшийся при строительстве античных стадионов, зеленых театров под открытым небом и пр. Этот геометризированный вид геопластики придает рельефу участка архитектурную строгость, торжественность и упорядоченность. Амфитеатр позволяет эффектно разместить на ступенях цветущие растения, скульптуру, малые архитектурные формы.

Холм

Холмы и пологие всхолмления разнообразной конфигурации и высоты имитируют рельеф средней полосы России и воспринимаются как естественные, гармоничные окружающей природе ландшафтные объекты. Холмы удачно маскируют соседские постройки, закрывают дом от любопытных взглядов прохожих, разделяют сад на «зеленые комнаты», улучшают микроклимат и дренаж участка. Холмы украшают посадкой деревьев, кустарников, на их вершинах располагают беседки или, наоборот, скрывают места для отдыха в тенистых «долинах» между искусственными всхолмлениями. Высота холмов варьирует от 60 см до 1,5 м.

Материаловедение

Ландшафтный дизайнер использует для работы природные «стихии» – землю, дерево, металл, воду, камень, свет, растения. В последнее время все чаще находят применение бетон, пластик, композитные материалы и прочие изобретения человека. Хорошее знание материалов, как природных, так и искусственных, их свойств и возможностей – залог успеха.

Подбор ассортимента растений – главного материала для сада – потребует знаний, опыта и размышлений.

На проблемных участках (тенистых, с болотистой почвой, с лесными деревьями и др.) лучше высаживать растения природного облика, в том числе и экзоты. В этой группе растений много видов, приспособленных к не самым благоприятным условиям обитания.

Небольшим садам (палисадникам при коттеджах, таунхаусах и др.) подойдут красивоцветущие кустарники и травянистые многолетники, пусть даже они и потребуют много ухода.

Для оформления подпорных стен, склонов, откосов используют почвопокровные, стелющиеся виды, породы кустарников с ниспадающими «каскадными» ветвями.

Выбор материалов для отделки подпорных стен, изготовления бордюров, отсыпок по краю цветников зависит от концепции проекта в целом.

Выбор материала мощения – тротуарной плитки или дерева – определяется стилевым направлением сада и практическими соображениями (ценой, долговечностью, сложностью укладки, особенностями эксплуатации). Часто на одном участке применяют несколько материалов, что не возбраняется, но следует придерживаться общепринятого правила: не использовать в отделке одного объекта более трех разновидностей материалов мощения.

Аргументы, определяющие выбор того или иного материала, таковы. Для загородных садов городского типа, т. е. со всеми атрибутами городской жизни в доме, больше подойдет тротуарная плитка (практично, строго, стильно) в комбинации с деревянными деками (контрастно, природно, тепло). Для усадеб с подчеркнуто природным колоритом подбирают натуральный камень или простую по форме плитку приглушенных естественных тонов. Загородным резиденциям «с претензией» подойдет тротуарная плитка ярких расцветок, нарядный клинкерный кирпич, гранитная брусчатка, тиковый садовый паркет. Для старых дач и домов в классическом усадебном стиле выпускается тротуарная плитка состаренного вида, например «старый город». В садах с обширными лесными угодьями уместны прогулочные дорожки из гранитного высева, дерновые дорожки и тропинки из коры или щепы.

Кроме соображений декоративного характера, необходимо учесть, какой из предполагаемых материалов наиболее долговечен. Гранитная брусчатка, клинкерный кирпич и тротуарная плитка являются самыми долговечными материалами (срок службы 30 лет и более), затем следует натуральный камень – сланец, а затем все остальные материалы (относительно долговечные или недолговечные). Срок службы деревянных покрытий в зависимости от вида древесины и способа обработки – от 5 до 15 лет. Разумно, если основные дорожки (входная, соединительные) и главные площадки выполнены из наиболее долговечных материалов.

На сырых, влажных участках не стоит использовать дерево. В лесных уголках глубокие котлованы под мощеные дорожки повредят корни деревьев (особенно чувствительны сосны), поэтому предпочтительнее дорожки из тротуарной плитки или натурального камня, уложенные на пес-

Рис. 36. Мощеная садовая терраса

ке. Есть варианты для строгих приверженцев экологического стиля – легкие дорожки из коры или щепы.

Также проектировщик должен учитывать наличие в данном районе упомянутых материалов. Например, натуральный камень для мощения в среднюю полосу привозят из Ростова-на-Дону, с Северного Кавказа, Урала, из Санкт-Петербурга. По этой причине камень дорог и как материал, и в работе по его укладке. Зато тротуарная плитка везде производится в огромном количестве и разнообразии, поэтому этот, к слову, недешевый материал для мощения тем не менее выглядит весьма демократично.

Все долговечные материалы для мощения требуют особых навыков в укладке, поэтому проект должен содержать такие идеи и приемы оформления, рисунки укладки и узлы, которые под силу выполнить предполагаемым исполнителям.

ТРОТУАРНАЯ ПЛИТКА

Тротуарная плитка – один из самых распространенных материалов для мощения. В комплексе ее практических свойств на первом месте стоит прочность. Пескобетонная вибропрессованная тротуарная плитка (в дальнейшем ВТП) выдерживает до 300 циклов замораживания-оттаивания, что оценочно можно трактовать как 30 лет гарантии.

При этом она относительно дешева и присутствует на рынке в широком ассортименте.

Отличительные особенности плитки этого типа – высокая плотность и прочность как результат вибропрессования на специальных станках, а также шероховатая верхняя поверхность (не скользит зимой) и прокрашивание красителем на полную толщину.

Высококачественная плитка (изготовленная с соблюдением технологии) может производиться только в заводских условиях на вибростанках (линиях). Заводская плитка разительно отличается по качеству от кустарного товара, производимого вручную в подвалах и подсобных помещениях. Общая стоимость мощения очень высока, поэтому ко всем материалам предъявляются повышенные требования.

Никогда не приобретайте плитку с рук, у неизвестного производителя, без сертификата и пр. Лучше всего приобретать плитку прямо на заводе ЖБИ, предварительно убедившись в ее качестве.

Высококачественная плитка ВТП размером с кирпич весит 4–5 кг, равномерно прокрашена по всей массе пескобетонной смеси, имеет ровную верхнюю поверхность без щербин и выбоин, ровные целые фаски, не осыпается по краю и не пачкает руки красителем.

Цвет плитки	Краситель	Оттенки	Применение
Красный	Сурик	Красно-коричневый, фиолетово-коричневый, розовый	Сады у коттеджей из красного кирпича
Серый	Нет	Светло-серый	Сады природного стиля, комбинированное мощение

Цвет плитки	Краситель	Оттенки	Применение
Черный	Сажа	Темно-серый, черный	Сады у современных коттеджей, комбинированное мощение
Коричневый	Коричневый	Коричневый, терракотовый	Сады природного стиля, мощение у деревянных коттеджей
Желтый	Желтый	Золотистый, светло-коричневый	Комбинированное мощение
Зеленый	Зеленый	Светло-зеленый, серо-зеленый, темно-зеленый	Оригинальные проекты, мощение у водоемов
Синий	Синий	Темно-синий, серо-синий	Оригинальные проекты, мощение у водоемов

Ассортимент ВТП включает разнообразные цвета и оттенки, определяемые красителями (и их количеством).

Тротуарная плитка выпускается в широком ассортименте форм. Все формы ВТП можно разделить на две группы.

Фигурная плитка

Названа так за сложную форму каждой плитки («катушка», «трилистник» и др.). В полотне мощения эти плитки образуют декоративные извилистые швы. Фигурную плитку чаще выбирают для городских объектов, где недостаток и сдержанность растительного оформления компенсируется красотой мощения.

Фигурная плитка укладывается только по прямой, на площадках большого размера, где рисунок из швов выглядит наиболее выигрышно. Садовые дорожки из нее сделать нельзя по следующим причинам:

• полотно плитки с фигурными выступами не поддается изгибанию на радиусах волнообразных дорожек;

• рисунок из швов читается только на большой площади мощения, а на узких дорожках и небольших площадках выглядит грубо.

Простая плитка

Рис. 37. Укладка тротуарной плитки

Названа так за правильную прямоугольную или квадратную форму. Несмотря на кажущуюся простоту формы, тротуарная плитка этого типа имеет широкий ассортимент разновидностей:

• квадраты и прямоугольники могут быть разнообразных размеров;

• верхняя поверхность плиток может быть ровной или слегка выпуклой;

• углы плиток могут быть прямыми или закругленными;

• края (фаски) могут быть широкими, узкими или «состаренными».

Толщина (высота) плитки имеет значение при расчете нагрузки на мощение. Для пешеходных дорожек с небольшой нагрузкой на полотно мощения достаточно толщины 30 мм. Для автомобильных дорог (въездов в гараж) и мощеных площадок с большой нагрузкой (автостоянки, внутренние дворы, хозяйственные площадки) необходима толщина плитки 70–100 мм. Более тонкая плитка по стоимости ненамного дешевле толстой, поэтому обычно на весь участок закупают плитку толщиной 70–80 мм, и ею мостят и дорожки, и площадки с въездами.

НАТУРАЛЬНЫЙ КАМЕНЬ

Натуральный камень как материал для мощения представлен сланцами — породами, в которых чередуются мягкие и твердые слои. Камень колется по мягким слоям, образуя пластины разного размера и цвета толщиной от 20 до 70 мм. Пластины камня для мощения садовых дорожек должны иметь толщину не менее 40 мм. Более тонкие пластины идут на отделку цоколей, заборов, подпорных стен. Также для мощения используют пиленый и колотый камень разных форм и размеров. В продаже есть каменная мозаика из мелких (30×30, 40×40 мм и др.) квадратов камня разных пород. Камень распиливают заранее, на заказ, в специальной мастерской или прямо на месте непосредственно при укладке плитки.

Необходимо помнить, что выпуклая, трещиноватая верхняя поверхность натурального камня очень красива, но неудобна для ходьбы (передвижения), особенно в обуви

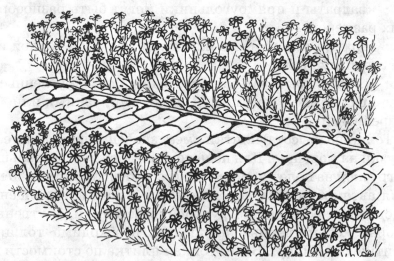

Рис. 38. Дорожка, выложенная натуральным камнем

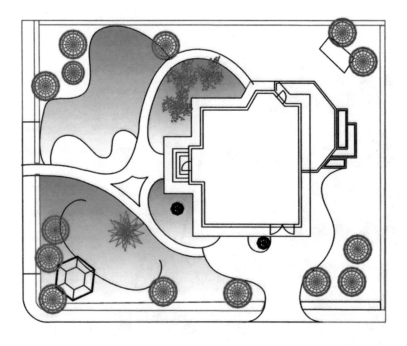

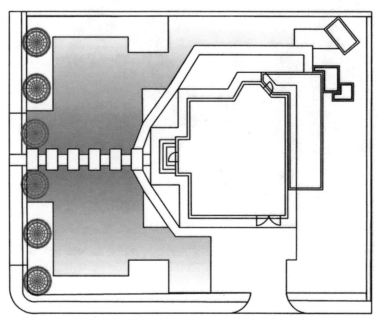

Форэскиз (эскизный план участка) выполняется в виде наброска
с несколькими вариантами проектных решений. Он создается на стадии
обдумывания проекта будущего сада

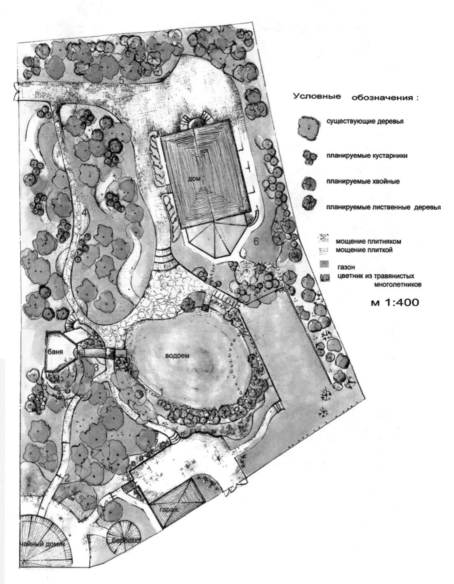

Условные   обозначения :

существующие деревья

планируемые кустарники

планируемые хвойные

планируемые лиственные деревья

мощение плитняком
мощение плиткой

газон
цветник из травянистых
многолетников

м 1:400

ДОМ

водоем

баня

гараж

чайный домик

барбекю

5

4

6

3

1

2

Ландшафтный генплан представляет собой общую концепцию ландшафта участка без деталировки. На нем должны быть изображены границы землевладения, строения, имеющиеся на нем, дорожно-тропиночная сеть, автомобильные площадки, въезды и все проектируемые ландшафтные объекты

M 1 : 200

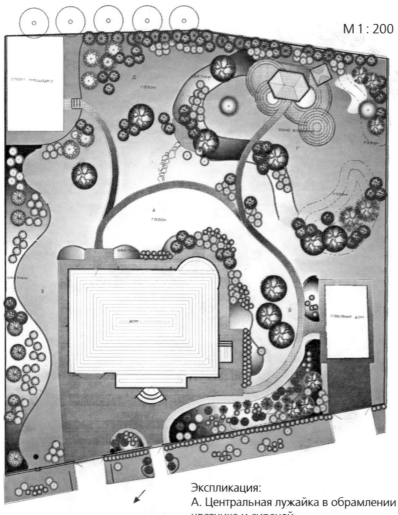

Экспликация:
А. Центральная лужайка в обрамлении
цветника и сиреней
Б. Зона плодового сада
В. Зона теневого бордюра
Г. Зона барбекю с костровищем,
площадками на открытом воздухе
в обрамлении цветника и холмов
Д. Спортивная зона на подпорной стенке

*На ландшафтном генплане могут быть размечены функциональные зоны
сада. К генплану может прилагаться тот или иной вид визуализации
проекта и пояснительная записка с обоснованием представленного решения
ландшафта участка*

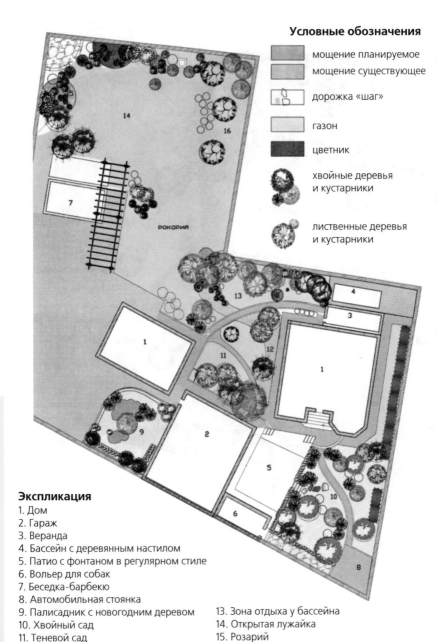

Условные обозначения

мощение планируемое

мощение существующее

дорожка «шаг»

газон

цветник

хвойные деревья
и кустарники

лиственные деревья
и кустарники

РОКАРИЙ

Экспликация

1. Дом
2. Гараж
3. Веранда
4. Бассейн с деревянным настилом
5. Патио с фонтаном в регулярном стиле
6. Вольер для собак
7. Беседка-барбекю
8. Автомобильная стоянка
9. Палисадник с новогодним деревом
10. Хвойный сад
11. Теневой сад
12. Теневой цветник

13. Зона отдыха у бассейна
14. Открытая лужайка
15. Розарий
16. Зона плодового сада

*Ландшафтный проект может иметь больше художественных вольностей,
чем строительный. Допускаются рисунки, штриховки, раскраска,
произвольные условные обозначения*

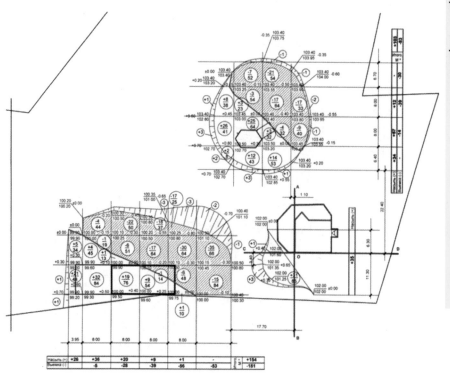

Условные обозначения

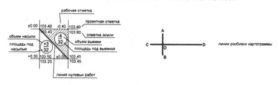

линии разбивки картограммы

Примечания

1. Базисными линиями для разбивки картограммы являются линии AD и CD с пересечением в точке О. Линии совпадают с наружными гранями стен существующего дома.

2. Объемы земляных масс для планировки площадки вокруг водоема подсчитаны без учета выемки от устройства самого водоема.

Проект вертикальной планировки (перемещения земляных масс) выполняется на основе топографической съемки участка. На этом плане указывают существующие и проектируемые высотные отметки. Одни от других отличаются цветом

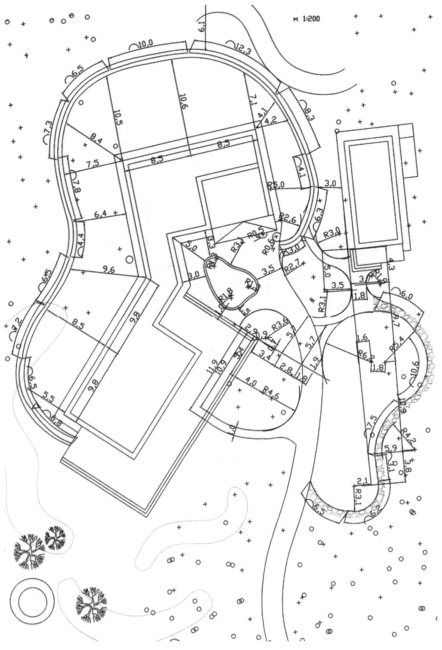

Разбивочный чертеж мощения является одним из рабочих чертежей проекта строительных покрытий. На нем указывают границы и ширину дорожек, размеры площадок, радиусы кривизны

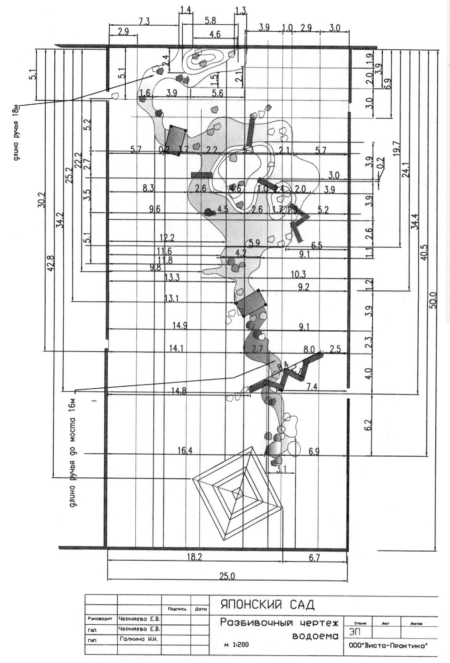

			Подпись	Дата	ЯПОНСКИЙ САД
Рководит	Черняева Е.В.				
ГАП	Черняева Е.В.				Разбивочный чертеж
ГИП	Голкина И.И.				водоема
					м 1:200

Стадия	Лист	Листов
ЭП		
ООО"Виста-Практика"		

Разбивочный чертеж водоема в японском саду

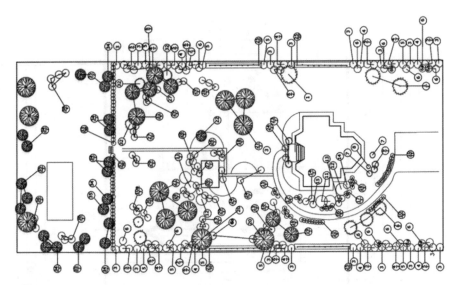

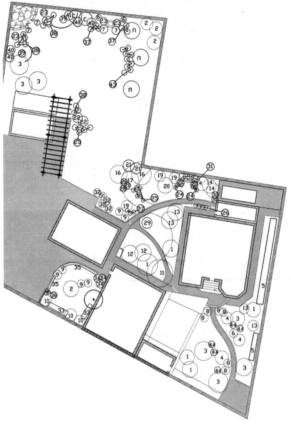

На дендроплане показывают размещение в саду древесных пород. Каждая порода имеет свой порядковый номер, который расшифровывается в прилагающемся списке растений. Дендроплан выполняется на общем чертеже будущего сада без указания цветников и мелких деталей

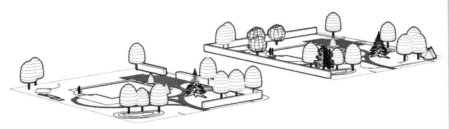

Визуализация проекта в программе AutoCAD (два варианта)

Визуализация проекта в программе 3D-Max

Визуализация проекта цветника с помощью карандашного рисунка по фотографии участка

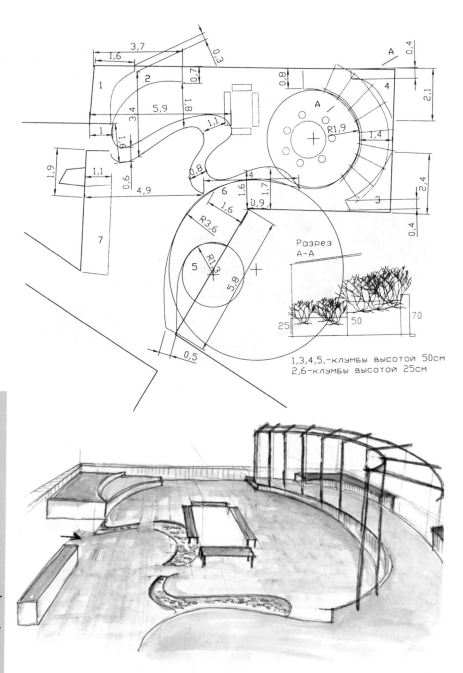

Разрез
А–А

25   50   70

1,3,4,5,–клумбы высотой 50см
2,6–клумбы высотой 25см

*Чертеж объекта и его визуализация с помощью перспективного
акварельного рисунка*

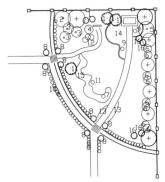

Экспликация
1. Ель сербская 3 шт.
2. Клен пурпурный 1 шт.
3. Акация белая 3 шт.
4. Чубушник 'Aurea' 2 шт.
5. Липа мелколистная 1 шт.
6. Роза морщинистая 10 шт.
7. Можжевельник 'Sky Rocket' 1 шт.
8. Туя шаровидная 'Woodwardii' 8 шт.
9. Ель канадская 'Conica' 2 шт.
10. Спирея 'Little Princess', 'Golden Princess' 50 шт.
11. Лиственница ф. плакучая штамб 1 шт.
12. Спирея 'Shirobana' 3 шт.
13. Цветник
14. Цветник
15. Сухой ручей с камнями и растениями
16. Можжевельник казацкий 4 шт.

План объекта «Сухой ручей» и его визуализация с помощью акварельного рисунка. Природная композиция с имитацией текущей воды. Плавные линии цветников создают объемы. Доминирует лиственная группа с пурпурным кленом. Связь с правой стороной обеспечивают хвойные на переднем плане — узкоконические ели сибирские. Передний план — низкий бордюр из кустарника, цветущего летом, и шаровидных туй, которые закрепляют углы и повторяют плавность форм поверхностей.

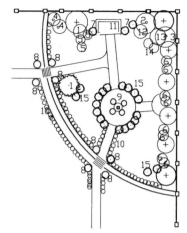

Экспликация

1. Сосна черная 1 шт.
2. Клен серебристый (липа) 1 шт.
3. Клен красный 1 шт.
4. Жимолость покрывальная 2 шт.
5. Спирея 'Gold Flame' 3 шт.
6. Роза морщинистая 10 шт.
7. Туя западная 'Smaragd' 3 шт.
8. Туя шаровидная 'Woodwardii' 8 шт.
9. Туя шаровидная 'Danica' 4 шт.
10. Спирея 'Little Princess', 'Golden Princess' 50 шт.
11. Жимолость каприфоль, девичий виноград
12. Барбарис Тунберга 'Atropurpurea' 1 шт.
13. Барбарис Тунберга 'Erecta' 3 шт.
14. Барбарис Тунберга 'Green Carpet' 2 шт.
15. Можжевельник казацкий 16 шт.

План объекта «Классический парадный сад» и его визуализация с помощью акварельного рисунка. Центром композиции является вазон или фонтан. Его форма подчеркнута шаровидными кронами хвойных, меньшего размера на внутреннем круге и большего — на внешнем. Зеленый нестрогий бордюр из можжевельника опоясывает центральную площадку. Слева фоном служит декоративная весь сезон хвойно-лиственная композиция, доминантой которой является сосна черная.

Визуализация проекта

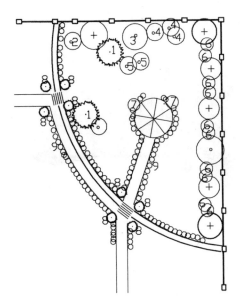

Экспликация
1. Сосна черная 2 шт.
2. Бузина черная рассеченнолистная 'Aurea' 1 шт.
3. Клен остролистный 1 шт.
4. Жимолость покрывальная 3 шт.
5. Спирея Вангутта 3 шт.
6. Роза морщинистая 10 шт.
7. Спирея серая 2 шт.
8. Можжевельник казацкий 8 шт.
9. Спирея японская 'Shirobana', 'Gold Flame'

План объекта «Уголок с беседкой» и его визуализация с помощью акварельного рисунка. Беседка – центр композиции. Фоном слева служит смешанная хвойно-лиственная композиция из клена, рябины, бузины черной рассеченнолистной 'Aurea' и одной из сосен. Другая сосна является доминантой переднего плана. Справа фоном служит группа елей и клен. Передний план – низкий бордюр из кустарника, цветущего летом, и можжевельников, которые закрепляют углы.

Акварельные рисунки лучше всего передают общую атмосферу сада, колористику и стиль. Особенно удачно воспроизводят особенности цветников, их колористические схемы (в данном случае представлены два варианта решения одного и того же цветника фасолевидной формы)

Визуализация проекта цветника с помощью компьютерного фотоколлажа позволяет оценить естественное освещение и сезонные эффекты растительности

Разные способы визуализации ландшафтных объектов можно комбинировать, например, фотографии растений или фотоколлажи цветников совмещать с акварельными рисунками

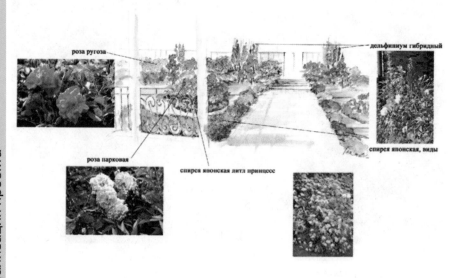

роза ругоза

дельфиниум гибридный

спирея японская, виды

роза парковая

спирея японская литл принцесс

Визуализация проекта цветника с помощью акварельного рисунка и программы Photoshop

на каблуках. По этой причине не следует мостить парадные дворы колотым камнем с грубой верхней поверхностью (гранитная брусчатка, например). Такое мощение уместнее в прогулочной части сада.

Известняк

Слоистый камень розового, бордового, коричневого, желтого, серого, черного цветов. Мягкий камень, впитывает влагу, часто используется для отделки цоколей, заборов, мощения дорожек и площадок.

Песчаник

Слоистый мягкий камень зернистой структуры коричневых, оранжевых, желтых тонов. Недолговечен. Используется для отделочных работ, мощения дорожек и площадок.

Бут

Природный камень округлой формы. Диаметр отдельных камней бута от 100 до 150 мм. По составу пород бывает однородным (гранитный) или смесовым. Бутовый камень используется для засыпки дренажных колодцев, устройст-

Рис. 39. Навес с основанием из бутовой кладки

ва прочных оснований, мощения дорожек и площадок, отделки вертикальных поверхностей. Мощение бутовым камнем целесообразно только для проезжей части, под автомобильную дорогу. Чистить лед и снег с поверхности такого мощения неудобно.

Гранит

Холодный плотный тяжелый камень, требующий больших усилий при обработке и транспортировке. Гранитная мозаика (спилы) применяется для мощения больших поверхностей, чаще на городских площадях и бульварах. Наиболее часто используется колотая гранитная брусчатка разных оттенков. Кубики камня с зернистыми неровными краями выглядят очень живописно, но ходить по ним в модельной обуви – настоящее мучение. Применяется для мощения прогулочных дорожек и садовых площадок.

Гнейс

Прочный камень темных тонов. Часто используется для мощения дорожек и площадок.

Валун

Природный камень размером более 150 мм в поперечнике. Крупные живописные моренные валуны с гладкой поверхностью, принесенные на Русскую равнину ледником из Скандинавии, очень ценятся в ландшафтном оформлении. Их размещают на газонах, в композициях с растениями, по берегам ручьев и водоемов. Красивые валуны песчаника привозят с юга России, а гранитные валуны особенно хороши в Карелии.

Окатыш

Окатанный водой плоский или объемный небольшой камень. По составу пород бывает однородным или смесовым. Используется для декоративного мощения на небольшой площади, что связано с его высокой стоимостью.

БЕТОН

Современные технологии заливки бетона позволяют добиваться прекрасных результатов. Бетон – пластичный материал. Из него изготавливают подпорные стены причудливой конфигурации, заливают мощеные площадки. Особенно интересные результаты дает колерованный бетон.

Малые архитектурные формы из бетона подходят для современных садов, хорошо сочетаются с металлом, стеклом, деревом, искусственными материалами.

ДЕРЕВО

Дерево как альтернатива мощению тротуарной плиткой и натуральным камнем по сравнению с ними обладает «теплым» и «мягким» характером.

Дерево недолговечно. Доски для мощения в целях продления срока службы изготавливают из лиственницы или тика (наиболее стойкие к гниению виды древесины). Также доски пропитывают антисептиками – под давлением (в промышленных условиях) или вручную.

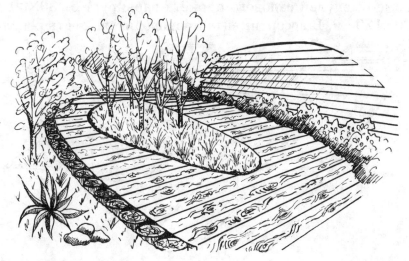

Рис. 40. Дощатый настил

Дека

Деревянные деки – плоские покрытия из досок, наиболее комфортные для человека, уместные на площадках для отдыха и для загорания, в детских уголках.

В сырую погоду дерево покрывается скользкой слизистой пленкой. Для устранения угрозы скольжения доски для дек профилируют по верхней поверхности. Для безопасности по краю дек устанавливают перила, ограждения.

Доски для дек берут толстые, 30–40 мм. Их укладывают на лаги – продольные или поперечные брусы. Плоскость деки не должна соприкасаться с грунтом. Деки приподнимают на высоту 20–25 см от уровня грунта. Площадку под декой необходимо дренировать для устранения застоя воды и засыпать песком или щебнем.

Очень красивы многоуровневые деки с соединительными лестницами и модулями с растительностью. В природных садах устраивают деревянные дорожки-проходы, часто приподнятые на манер мостков над уровнем грунта.

Садовый паркет

Небольшие дощечки закрепляют на пластиковом или деревянном каркасе – так изготавливают садовый паркет. Размер модулей садового паркета варьирует от 30×30 до 120×120 см. В ассортименте производителей есть регули-

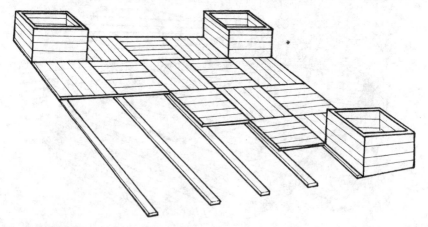

Рис. 41. Монтаж садового паркета

руемые конструкции, позволяющие создать горизонтальную поверхность площадки на небольшом уклоне участка. Неоспоримое достоинство садового паркета — возможность забирать его на зимовку в помещение и весной снова монтировать. Садовый паркет удобен на детских площадках, у водоемов и бассейнов.

Термодерево

Так называют продукт современной технологии обработки древесины при высоких температурах. Доски, вагонку, брус помещают в камеры и нагревают до 200 °C. В процессе термообработки дерево пропитывают парафиносодержащими составами. Обработанное таким образом дерево имеет легкую, пористую структуру, при этом не впитывает влагу, не гниет и может служить на открытом воздухе несколько десятков лет. Профилированная доска, обработанная таким образом, называется *палубной доской* и находит применение при отделке террас, площадок, беседок.

Спилы

Рис. 42. Дорожка, вымощенная деревянными плашками

Погибшие старые деревья могут сослужить еще одну, последнюю, службу в саду. Распилив их на спилы – чурбаки высотой от 15 до 45 см – и уложив на слой песка, можно создать недолговечное, но весьма декоративное мощение.

Щепа

Представляет собой отходы лесопилок и результат специального измельчения древесины. Наиболее удобна для работы щепа хвойных пород. Также щепа бывает окрашенная и неокрашенная. Используется для мульчирования, отсыпки площадок и дорожек. Для поддержания декоративности нуждается в ежегодной подсыпке, смене и возобновлении каждые 3–5 лет. Часто под слой щепы кладут геотекстиль для сохранности покрытия и как препятствие для роста сорняков на влажных почвах.

Кора

Измельченная кора хвойных (реже лиственных) пород используется так же, как щепа. Кора более естественна и декоративна, дольше служит. Бывает трех фракций измельчения: крупной, средней, мелкой. Крупная фракция наиболее долговечна.

СЫПУЧИЕ МАТЕРИАЛЫ

Сыпучие (инертные) материалы издревле используются в садовом искусстве. Их применяют для отсыпки дорожек и площадок, а также для создания причудливого рисунка цветочных партеров. Это гранитная крошка, гравий, ракушка, галька, битый кирпич.

Гравий

Гравий изготавливают путем дробления (дробленый гравий, щебень) или намывания, промывки (намывной гравий). Намывной гравий декоративнее благодаря естественной округлой форме.

Рис. 43. Гравийная дорожка

В современных садах наиболее часто используют гальку (мелкая фракция гравия, размер частиц 5–10 мм), щебень средней фракции, или дренажный (размер частиц 20–40 мм), крупный декоративный щебень (размер частиц 50–70 мм), гранитную крошку (размер частиц 3–7 мм).

Дорожки и площадки, засыпанные галькой, щебнем, крошкой, годятся только для летнего использования, чистить их ото льда и снега нельзя.

Рис. 44. Дорожка из песка

Песок

Для ландшафтных работ охотно используют речной песок (с крупными частицами, светлого тона, с включением ракушек и мелких камней). Строительный песок разных видов (мелкий, средний, крупный) также применяется для отсыпки дорожек и площадок. Песок примешивают к тяжелым грунтам для улучшения физико-химических свойств почвы. Для этих целей годится любой песок, кроме известкового, мелкого и замусоренного.

Ракушка

Россыпи ракушек, речных и морских, хорошо смотрятся в качестве окантовки клумб, как мульча под растениями, компонент сложных композиций с камнем, корягами, песком и мощением. Недолговечный материал.

ГРУНТ

Растительный грунт

Растительным называют любой грунт, пригодный для роста растений, т. е. чистый, естественного происхождения, не засоренный многолетними сорняками, болезнетворными микроорганизмами, вредными примесями и имеющий сертификат качества. Как любой сыпучий материал, имеет коэффициент усадки (обычно 12−15%).

В качестве растительного грунта чаще всего применяется плодородный слой с полей, т. е. верхний слой почвы с пахотных полей, залежей, пустырей. Как правило, он сильно засорен семенами злостных сорняков, требует специальной подготовки, улучшения для использования в качестве, например, газонного грунта.

Торф

Продукт неполного разложения растительных остатков, легко впитывающий влагу и также быстро пересыхающий, не содержащий легкоусвояемых растениями питательных веществ. Применяется как почвоулучшающая добавка к естественным почвам, в качестве субстрата для выращивания саженцев и посева семян, как компонент сложных почвенных смесей и как мульча под растениями. В чистом виде для посева газона не годится.

Сапропель

Озерный ил, плодородный и питательный. Часто продается в смеси с торфом. Используется в качестве природного удобрения, как почвоулучшающая добавка. Для посева газона не годится.

Газонный грунт

Специальная смесь глины, песка, торфа, компоста в определенных пропорциях. Не содержит семян и корневищ сорняков, имеет слабокислую реакцию, обладает комплексом благоприятных для растений физико-химических свойств. Изготавливается на специальных площадках.

Планировочный грунт

Грунт, используемый для подсыпки на участке в процессе вертикальной планировки. Чаще всего в качестве планировочного грунта используют суглинки, супеси, глинистые грунты, вывозимые со строительных площадок (грунт из-под фундаментов, траншей и пр.). Не должен содержать строительного мусора, камней, корней, кусков дернины и пр. Стоит дешевле всех упомянутых видов грунтов. Целесообразно найти планировочный грунт «по месту», не возить его издалека.

Создание ландшафтного проекта

Проектирование сада выполняется на основе технического задания, выдаваемого владельцем (заказчиком). Для работы над проектом сада требуется план-анализ ситуации на участке, геоподоснова или топографическая съемка, а также все другие документы, содержащие дополнительную информацию об участке.

ТЕХНИЧЕСКОЕ ЗАДАНИЕ

Техническое задание является основополагающим документом при проектировании. Оно выдается заказчиком и представляет собой список ландшафтных объектов, которые должны быть размещены на плане. Там могут присутствовать другие пожелания, например, замаскировать забор или осушить болотистый угол участка. Техническое задание выдается в виде списка, составленного самим заказчиком или записанного с его слов, и заверяется его подписью.

ЗОНИРОВАНИЕ

Первый этап проектирования заключается в разделении сада на функциональные зоны. На масштабном плане участка зоны очерчивают условными линиями – границами. Обязательные зоны любого участка – входная, хозяйственная, рекреационная (зона отдыха).

ФОРЭСКИЗ

Форэскизом называется эскизный, т. е. выполненный в виде наброска, рисунка план сада с предложениями, вариантами проектных решений. Из серии разнообразных планов, предложений, представленных на форэскизе, постепенно формируется окончательный план. Форэскиз не является окончательным решением, а лишь одним из этапов проработки, обдумывания проекта будущего сада.

ГЕНПЛАН

Ландшафтный генплан представляет собой общую концепцию ландшафта участка без деталировки. На генплане в масштабе изображены границы участка, здания и сооружения, имеющиеся на нем, дорожно-тропиночная сеть, автомобильные площадки и въезды и все проектируемые ландшафтные объекты. Таким образом, генплан не содержит информации об инженерных коммуникациях, породном (видовом, сортовом) разнообразии посадок, особенностях рельефа, техническом устройстве водоемов и подпорных стен. Эта информация представлена на соответствующих рабочих чертежах.

К генплану может прилагаться тот или иной вид визуализации участка и пояснительная записка.

ПОЯСНИТЕЛЬНАЯ ЗАПИСКА

В пояснительной записке излагается обоснование представленного на генплане решения ландшафта участка. В тексте вначале описываются особенности проектируемого участка, указываются проблемы и недостатки, а затем предлагаются пути и способы решения этих проблем средствами ландшафтного дизайна. Затем описывают каждую зону будущего сада, обосновывая представленные на генплане решения. Пояснительная записка является важной интегральной текстовой частью проекта, так как содержит информацию, не поддающуюся изложению в виде чертежей и рисунков.

ВЕРТИКАЛЬНАЯ ПЛАНИРОВКА

Проект вертикальной планировки выполняется на основе топографической съемки участка на масштабном плане. Он предусматривает в первую очередь создание уклонов для стока дождевой и паводковой воды с участка и лишь во вторую очередь – придание рельефу декоративного аспекта.

Высотные отметки

На плане вертикальной планировки указываются существующие высотные отметки (с топографической съемки) и проектируемые высотные отметки. Одни от других отличаются цветом.

Перемещение земляных масс

Проект вертикальной планировки часто называют *проектом перемещения земляных масс*. Разница между существующими и проектируемыми высотными отметками участка предполагает снятие или подсыпку грунта. Проект содержит информацию об объемах перемещаемого грунта, что позволяет подвести баланс (сколько дополнительного грунта необходимо завести на участок или сколько лишнего грунта необходимо вывезти с него). Хороший проект вертикальной планировки учитывает весь перемещаемый грунт, в том числе из-под дренажных канав и дорожек, из посадочных ям под деревья и кустарники, из-под фундаментов бань и заборов. В идеальном случае баланс сводится «в ноль», т. е. грунт только перемещают по участку, не завозя дополнительного и не избавляясь от лишнего.

Подпорная стена

В проекте вертикальной планировки предусматривается выравнивание участка, террасирование и создание подпорных стен. Проект содержит информацию о высоте подпорных стен и их протяженности.

Рис. 45. Оформление перепада рельефа подпорной стеной

Подпорные стены имеют фундамент и тело. В их основание закладывается дренаж. Отделку подпорных стен подбирают так, чтобы они не сливались со зданиями и другими постройками. Чаще всего подпорные стены отделаны натуральным или искусственным камнем, штукатуркой (шубой), керамической плиткой. Верх подпорной стены обязательно защищают накрывным камнем.

Пандус

Пандусы, или пологие наклонные мощеные спуски-подъемы, позволяют провозить инвалидные коляски, тачки и газонокосилки с террасы на террасу, минуя лестницы.

Пандусы более комфортны при подъемах, чем лестницы (летом), и часто проектируются как дублирующий лестницу вариант прохода на террасы сада. Пандусы лучше мостить шероховатой нескользкой плиткой, шероховатым натуральным камнем.

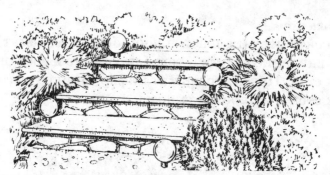

Рис. 46. Садовая лестница с сопровождающим освещением

Лестница

Садовые лестницы имеют широкие ступени и невысокие (7–10 см) подступенки. Парадные лестницы отливают из бетона и отделывают дорогими материалами мощения. Садовые лестницы собирают из деревянных брусков (шпал), крупной тротуарной плитки.

ПРОЕКТ СТРОИТЕЛЬНЫХ ПОКРЫТИЙ

Проект строительных покрытий содержит рабочие чертежи по устройству садового мощения. Сюда входят бетонные стяжки, покрытие из тротуарной плитки и камня, указаны направления и величина уклонов, места монтажа лотков и водоприемников ливневой канализации, описаны стыки и примыкания мощения к другим объектам. На рабочем чертеже также указаны так называемые «дорожные одежды», а именно слои подготовки из песка, щебня, бетонной стяжки, раствора и указана высота (толщина) тротуарной плитки или камня.

На привязочном чертеже мощения указаны границы и ширина дорожек, размеры площадок, радиусы кривизны. Трасса дорожки по территории привязана к оси, относительно которой можно вынести проект в натуру, т. е. разбить (разметить) дорожку в саду со всеми плавными изгибами, поворотами, развязками. Часто для удобства привязочная ось совпадает с линией забора или стены дома.

ДЕНДРОПЛАН

На дендроплане показано размещение в саду древесных пород. Дендроплан выполняется на общем чертеже будущего сада без указания цветников и мелких деталей.

Нередко дендроплан и разбивочный чертеж представляют собой один и тот же чертеж. Однако дендроплан может ограничиваться информацией об общей концепции озеленения вкупе с прилагающимся списком древесных пород. Разбивочный чертеж является рабочим чертежом и позволяет найти в саду точное местоположение каждого растения. Для этого на чертеже место посадки каждого растения привязывают (указывают расстояние) к дорожкам (к краю дорожки), отмосткам, краю мощеных площадок, стенам зданий и сооружений, заборам. Также указывают расстояние между растениями в группах и массивах.

ПРОЕКТ ЦВЕТНИКА

Проект цветника выполняется в масштабе 1:50 или 1:20. Нередко проекты цветников (а также миксбордеров, декоративных групп из травянистых многолетников) столь сложны и так насыщены растениями, что вполне заслуженно выносятся в «отдельное производство» и представляют собой некую отдельную интегральную часть общего проекта.

Расчет цветника

Рабочий чертеж цветника с указанием количества растений и их размещения друг относительно друга дополняется списком растений с указанием их количества. Проектировщик проделывает эту работу для того, чтобы точно знать количество и ассортимент закупаемых растений.

Таблица декоративности

Этот документ позволяет наглядно в виде раскрашенной таблицы продемонстрировать заказчику сроки наступления и развития декоративных эффектов (цветение, приобретение листвой осенней окраски и пр.) использованных в цветнике растений. В первой колонке указывается название растения, а далее в столбцах, размеченных по месяцам с апреля по ноябрь, цветом обозначается появление ростков, распускание листвы, цветение, декоративность куста после цветения, продолжительность вегетации.

Таблица позволяет увидеть «волны» цветения растений, отследить сроки наступления и окончания общей декоративности цветника, увидеть пустые «окна» в цветении и добавить недостающие растения.

ТЕХНОЛОГИЧЕСКАЯ КАРТА

В этом документе описываются особенности почвы участка, способы ее улучшения и технология посадки растений. Здесь указаны сроки посадок, размеры посадочных ям, количество и состав вносимых удобрений, описан уход за приживающимися растениями.

Технологическая карта составляется не только для цветников, но и для всех посадок на участке.

ВИЗУАЛИЗАЦИЯ

Чертежи и схемы хорошо понятны специалисту, но не заказчику. Показать, как будет выглядеть участок после завершения всех ландшафтных работ, помогают методы визуализации.

Перспективный рисунок

Чаще всего выполняется акварелью в цвете. Для изображения выбирают наиболее важные точки обзора – вход в калитку, от крыльца, с площадки для отдыха, из беседки.

Акварельные рисунки хорошо передают атмосферу сада, колористику и стиль. Особенно удачно акварельные рисунки воспроизводят особенности цветников, зато красоту рельефа и общее объемно-пространственное решение сада изобразить таким способом нелегко.

Фотомакет

Увеличенные фотографии участка служат основой для создания фотомакета. Поверх фотографии закрепляется лист кальки, и на нем изображаются в пропорции наиболее крупные, выразительные объекты проектируемого сада. Фотомакет используется для «технических» целей – показать, как крупномерные деревья заслонят дом соседа, как древесно-кустарниковые группы скроют забор и т. п.

Аксонометрический чертеж

На этом варианте чертежа изображается общий вид участка с высоты птичьего полета и под углом 45°. Все объекты вычерчиваются в трехмерной проекции по особой сетке в масштабе.

Чертеж можно раскрасить и детализировать, однако он все равно выглядит достаточно механистично и дает только общее представление о картине будущего сада.

Компьютерная визуализация

Проект сада выполняется в трехмерном изображении в одной из многочисленных программ. Позволяет оценить объемно-пространственное решение участка, перспективы – висты, естественное освещение, сезонные эффекты растительности. Однако совершенно не дает представления о колористике, деталях растительного оформления, плохо изображает геопластику.

Макет

Макет из бумаги, картона, пластической массы отлично передает выразительность вертикальной планировки и геопластических форм. Все остальные объекты и детали проекта передает условно, в большой зависимости от мастерства и усердия исполнителя.

НОРМЫ И ПРАВИЛА

Ландшафтные проекты разделяются на городские, поселковые и проекты озеленения и благоустройства частных участков. Формально в отношении тех и других действуют общие требования (ГОСТы) к созданию проектно-сметной документации. На практике эти требования строго выполняются лишь по отношению к крупномасштабным проектам, где требуются многочисленные согласования и разрешения. Ландшафтные проекты для частных участков выполняются в соответствии со сложившейся практикой и включают в себя все вышеперечисленные в этой главе документы. Иногда ландшафтный проект ограничивается эскизами, набросками, списками рекомендуемых растений.

СНиПы

Строительные Нормы и Правила имеют непосредственное отношение к ландшафтным работам. Так, согласно этому документу кабели электроосвещения должны быть закопаны на глубину не менее 70 см. Высота подсыпки или снятия грунта у стволов существующих деревьев не должна превышать 15 см. Расстояние от ствола до стены здания при посадке дерева не должно быть менее 5 м. Подробно с современными СНиПами можно ознакомиться в специальных справочниках.

Правила пожарной безопасности

Эти правила никогда не теряют своей актуальности и должны выполняться в интересах самих хозяев. Расстояние между жилыми постройками на садовых участках не может быть менее 6 м. На участке должен быть предусмотрен проезд для пожарной автомашины к дому шириной 7 м. Для этого не нужно мостить дорогу через весь сад, а просто следует оставить на линии проезда газон, лужайку, можно с цветниками и кустарниками, но без холмов, водоемов, деревьев. Подробно о правилах пожарной безопасности можно прочесть в справочниках.

Имеющий статус федерального закона «Технический регламент о требованиях пожарной безопасности», принятый 4 июля 2008 года, определяет, что допустимые расстояния между жилым домом и хозяйственными постройками в пределах одного участка не нормируются. А расстояние от хозяйственных построек одного участка до жилого дома другого участка устанавливается в зависимости от категории сооружения от 6 до 15 м.

Нормы расстояний при посадке растений

Хотя эти правила были написаны несколько десятков лет назад и предназначены для садово-огородных товариществ и дачных кооперативов, они не утратили своей актуальности и по сей день. Так, деревья высаживают не ближе 3 м от соседского забора, а кустарники – 1,5 м, и это правило лучше соблюдать.

Условные обозначения

В сложившейся практике проектирования имеются многочисленные давно использующиеся условные обозначения, понятные каждому проектировщику.

Однако в ландшафтных проектах используются приемы и материалы, особенности которых не всегда удается передать при помощи традиционных условных обозначений. Поэтому в профессиональной среде популярны в основном переведенные с английского языка справочники-каталоги по ландшафтной графике и условным обозначениям. Многие ландшафтные проектировщики не без основания считают, что ландшафтный проект может содержать любые обозначения, рисунки, штриховку, раскраску, дополняться фотографиями и коллажами. Подводя итог, можно остановиться на заключении, что ландшафтные проекты имеют больше художественных аспектов, чем строительные, и поэтому позволяют проектировщику больше вольностей в изображении, но без ущерба здравому смыслу и качеству.

Инженерные коммуникации

Современный сад оснащен множеством достижений технического прогресса и инженерной мысли. Некоторые сады по этому показателю можно назвать «умными садами» по аналогии с жилыми зданиями. Во всем необходимо находить разумное, взвешенное решение. Задачу облегчает наличие большого ассортимента техники от любительского до высокопрофессионального уровня.

ОСВЕЩЕНИЕ

Речь идет о двух аспектах садового освещения – *техническом* (подсветка входов, въездов, главных путей по участку) и декоративном, собственно *ландшафтном*.

Светильники

Садовые светильники бывают высотой от 5 см до 4 м и более. В северных садах для технического освещения применяют светильники высотой не менее 120 см, а именно выше уровня снега. Для ландшафтной подсветки используют светильники, максимально «родственные» ландшафту – невысокие, простых форм и неброских расцветок, преимущественно прожекторы.

Обе группы светильников должны соответствовать общим строгим требованиям правил безопасности – электричество является самой опасной и ответственной «стихией» ландшафта.

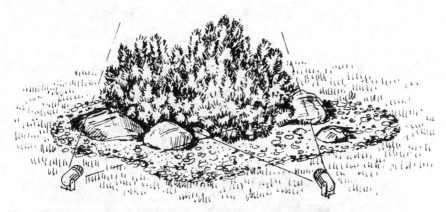

Рис. 47. Акцентирующая подсветка растительной композиции

Проект освещения

Проект освещения выполняется профессиональным инженером-электриком с лицензией и допуском к подобным работам. Он предусматривает несколько функциональных линий подключения. Часто сад оборудован системой переключателей, позволяющих отключать подсветку не в том месте, где ее включали.

Желательно, чтобы в саду были применены несколько типов ландшафтной подсветки, а именно гирлянды-«светлячки», прожекторы для подсветки деревьев и цветущих

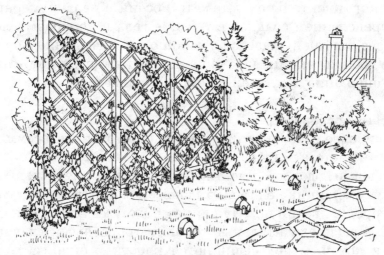

Рис. 48. Прием освещения живой изгороди

Рис. 49. Направленное освещение растений

растений, точечные светильники у лестниц и пандусов, подсветка водоемов и фонтанов.

ПОЛИВ

В континентальном климате России с неравномерным распределением осадков в течение года и периодами летней засухи сад нуждается в хорошо организованном поливе. Удобная техника и оснащение полива делают эту садовую операцию приятной и неутомительной.

Садовый водопровод

Наиболее удобны готовые, укомплектованные всеми деталями системы садового полива.

Садовый водопровод монтируется из прорезиненных шлангов, проходящих под газоном ко всем важным точкам сада (к огороду, цветникам, лужайкам). В этих местах располагаются распределительные колонки с обратными клапанами, к которым подсоединяются короткие шланги с разбрызгивающими воду насадками. Садовые водопроводы

Рис. 50. Полив, позволяющий избежать размывания почвы

рассчитаны на давление воды от 3 до 8 атмосфер. Они отлично переносят зиму, просты в эксплуатации и недороги.

Автоматический полив

Системы автоматического полива обеспечивают поддержание постоянной влажности корнеобитаемого слоя в саду без участия человека. Это высокотехнологичный продукт современной промышленности, предполагающий высокопрофессиональное сервисное обслуживание. Системы автоматического полива, в основном израильского производства, хорошо зарекомендовали себя в условиях России.

ДРЕНАЖ

В условиях северного климата, когда избыточная влага разрушительно воздействует на фундаменты построек и корни растений, дренирование участка совершенно необходимо. Дренаж обеспечивает организованный сток избыточной воды с участка.

Существует несколько типов дренажей. *Строительный,* или *глубинный, дренаж* защищает фундаменты построек от грунтовых вод. *Ливневый дренаж* отводит дождевую воду с плоских поверхностей, мощения, кровли, газонов, террас, площадок. *Садовый дренаж* осушает верхний корнеобитаемый слой почвы (0,5–1,5 м). Все виды дренажей монтируются как отдельные самостоятельные системы. Запрещается объединять между собой разные типы дренажей.

Ливневый дренаж

Ливневый дренаж представляет собой самостоятельную, отдельную дренажную систему, предназначенную для вывода с участка ливневой и паводковой воды, попадающей на непроницаемые для воды поверхности – кровли зданий, мощеные площадки.

Ливневый дренаж состоит из системы кровельных лотков с отводными трубами, лотков разного вида, дренажных решеток, водяных трапов и дренажных колодцев. Участки ливневого дренажа, где вода течет открыто, называются *открытыми участками дренажной системы*. В средней полосе России они необходимы для профилактики возможного засорения растительным мусором, а главным образом – для предупреждения ледяных пробок. В Западной Европе ливневый дренаж на доме монтируется как полностью закрытая система, с отводом воды с участка через сеть подземных труб.

Дренажный колодец

Дренажный колодец представляет собой куб из гранитного щебня фракции 70–150 мм (бут), «завернутый» в два слоя геоткани (нетканый синтетический материал для предотвращения заиливания). Колодцы располагают ниже высотных точек отмостки дома на расстоянии не менее 3 м от фундамента. Труба от водяного трапа должна войти в верхнюю треть колодца по высоте.

Через дренажный колодец вода просачивается в грунт и распределяется там.

Водяной трап

В полотне мощения водяные трапы монтируют таким образом, чтобы вода попадала к ним со сливов с кровли по лотку или благодаря воронкообразному уклону мощения к водяному трапу. Аккуратно вмонтированные в полотно мощения, водяные трапы и приемные решетки становятся не только техническими, но и декоративными деталями мощения.

Садовый дренаж

Сеть перфорированных пластиковых труб, обернутых в геоткань и уложенных «елочкой» под газоном, отводит с участка лишнюю дождевую и паводковую воду. Этот вид дренажа обеспечивает отведение лишней воды из корнеобитаемого слоя почвы (на глубине 20–50 см) под газонами, цветниками, кустарниками. Под деревьями дрены закладывают на глубине до 1,5 м. На участках с лесными деревьями нежелательно проводить дренаж вблизи деревьев.

Частные случаи создания сада

В практике садового благоустройства существует множество практичных готовых решений для нестандартных, или проблемных, садов. Речь идет о небольших по площади, или наоборот, огромных участках, о вытянутых узких или причудливых по форме землевладениях. Проблемными такие участки называются лишь потому, что хозяевам без соответствующего опыта трудно правильно распланировать свой сад.

МАЛЕНЬКИЙ УЧАСТОК

Маленьким по площади считается участок менее 8 соток. Трудности его благоустройства заключаются не только в том, что каждый квадратный метр такого сада требует продуманного использования. Наиболее часто хозяева маленьких участков жалуются на то, что живут, как в аквариуме – сад просматривается с улицы, с дороги, из соседских окон и т. д. Другая проблема – ощущение тесноты, замкнутости.

Ряд практических приемов позволяет решить все проблемы малых садов.

Круглый газон зрительно расширяет даже самые крошечные садики. Длинные извилистые прогулочные дорожки создают ощущение «долгой прогулки». Если удается скрыть часть сада с местами для отдыха за массивом густых посадок при помощи фасолевидного или каплевидного газона, вид уходящей изогнутой лужайки или дорожки обманчиво «прибавляет» саду дополнительную площадь.

Растения подбирают так, чтобы высота деревьев не превышала 5–6 м, кустарников – 2–3 м, и отдают предпочтение карликовым сортам. Заслонить соседские окна могут только очень крупные растения, для которых нет места. Зато от взглядов сверху отлично защищают перголы, навесы, арки. Слишком яркие тона иллюзорно уменьшают сад, так как подсознательно требуют много спокойного фона для восприятия. Лучше остановить свой выбор на цветах пастельных холодных окрасок, иллюзорно расширяющих сад. Скульптура для маленького сада подходит «половинная», т. е. фигура в половину роста взрослого человека. При выборе МАФ избегают крупных и громоздких вещей, обращая особое внимание на тонкие, ажурные, изящные изделия. Геопластические формы – холмы, валы – преображают вид плоских садов, делают картины сада богаче впечатлениями, живописнее, выразительнее.

БОЛЬШОЙ УЧАСТОК

Большими по площади можно считать участки от 50 соток до нескольких гектаров. В первую очередь необходимо провести грамотное зонирование такого землевладения. Очевидно, что традиционные функциональные зоны по занимаемой площади останутся такими же, как и на обычных, среднестатистических участках и, скорее всего, будут сосредоточены в придомовой зоне. Остальная территория будет отведена под парк, прогулочную зону с размещенными в самых живописных уголках местами для отдыха.

На большом участке желательно создать серию уютных небольших «зеленых комнат» с традиционными посадками, высококлассными газонами, малыми архитектурными формами, подсветкой, где хозяева будут чувствовать себя комфортно, уютно и защищенно.

На обширных парковых угодьях создают серию живописных дальних видов – вист – на лес, поле, рощу, реку. Без всякого сомнения, именно эти виды и станут главными достопримечательностями большого участка. Здесь разбивают луговые и мавританские газоны, прокладывают дерновые дорожки, создают посадки в природном стиле.

СТАРАЯ ДАЧА

Старые и старинные дачные поселки обладают неотразимым очарованием. Старые калитки, заросшие тропинки, предметы ушедшего быта и запах старины являются своеобразными, но несомненными достоинствами таких участков.

Придавать старому саду новый облик необходимо с большой осторожностью, тактом и уважением к прошлому. Совершенно не нужно все сносить, вырубать и менять. Достаточно избавиться от некоторых самых безнадежных старых деревьев, а остальные после тщательной инспекции обработать от вредителей и болезней, вовремя провести омолаживающую обрезку, подкормить и регулярно поливать. Кустарники также выборочно обработать, рассадить, собрать в группы.

На старых участках, как правило, нет газонов. Небольшая лужайка каплевидной или С-образной формы легко вписывается в существующие посадки и постройки. Газон осушает, осветляет, облагораживает старый сад, словно новая скатерть с расставленным на ней старинным сервизом.

Все заросшие сады переувлажнены, и потому проведение садового дренажа является насущной необходимостью. Также необходимо построить дорожки и площадки, выбрав подходящий материал мощения. Огород можно обновить, построив новые гряды, окантованные струганной доской, и проложив дорожки.

Новая беседка в стиле «ретро» будет настоящим подарком старому саду.

В подборе ассортимента посадок лучше отдать предпочтение традиционным культурам, но новых сортов (уместны сирени, чубушники, калины, спиреи, айва низкая, розы и пр.).

ВЫТЯНУТЫЙ УЧАСТОК

Недостатком узкого участка является неудачное соотношение длины и ширины. В результате хозяева вынуждены ходить в огород «за тридевять земель» и постоянно ощущать присутствие соседей.

Первым делом необходимо определиться с расположением хозяйственной зоны. Сараи, гаражи, поленницы, мастерские, бани (сауны) желательно объединить с домом по принципу внутреннего хозяйственного двора так, как это издревле делалось на Русском Севере. Часть двора можно завести под навес, что очень удобно в непогоду.

Непосредственно за хозяйственным двором можно расположить плодовый сад и огород, небольшие декоративные композиции, лужайку для детей, детскую площадку, а также места для отдыха.

Декоративный сад можно расположить в самой дальней, прогулочной части участка. Тогда сад естественно разделяется по крайней мере на три «зеленые комнаты» разного функционального назначения, а параметры этих частей участка более приближены к оптимальным. Для узкого участка более подходит С-образный газон и диагонально пересекающие участок дорожки.

ЛЕСНОЙ УЧАСТОК

У покупателей загородных имений особенно ценятся участки с лесом. Однако и в их обустройстве есть ряд проблем. В тени леса не растут плодовые деревья и декоративные кустарники. Лесная трава быстро вытаптывается и уступает место весьма недекоративным сорнякам и проплешинам.

Лесные участки нуждаются в чистке от валежника, сухих сучьев и санитарной рубке. Осветленный лес лучше развивается, оставшиеся деревья наращивают более густые кроны, под полог леса попадает больше света.

На лесистых участках необходимо создать качественное мощение – дорожки, площадки, развязки с интересными материалами мощения, рисунком укладки, декоративными деталями. Площадки со скамьями нужно расположить в самых живописных частях участка, провести подсветку ландшафтными прожекторами и светильниками.

Вблизи площадок разбивают экологические цветники из теневыносливых растений, создают напочвенный покров. По периметру полян и по кромке леса формируют многоярусные красочные опушки. К особенно выразительным деревьям подсаживают кустарники для создания «групп с лидирующим солитером». Места для отдыха располагают под пологом деревьев или на полянах. Самый удаленный уголок участка оставляют в нетронутом виде как резерват «дикой природы», где могут найти убежище птицы и мелкие животные. Поскольку под пологом леса невозможно создать качественный газон, то самые светлые участки засевают газонной травой для получения «напочвенного покрова». В более тенистых местах высаживают папоротники, лесные травы. Под соснами на песчаных почвах можно вместо газона засыпать участок чистым речным песком слоем 3–5 см и высадить кустарники, мелкие деревья. Очень удачно смотрятся под пологом леса невысокие теневые рокарии.

УЧАСТОК НЕПРАВИЛЬНОЙ ФОРМЫ

В результате родственных разделов и прирезок участок может приобрести причудливую форму со многими углами, узкими вытянутыми «аппендиксами». В этом случае возникают трудности с размещением функциональных зон и трассировкой дорожек.

Решить эти проблемы необходимо на самых первых этапах проектирования, непосредственно на масштабном плане. Внутри необычной формы участка размещают квадраты и прямоугольники (правильные фигуры) до тех пор, пока эти фигуры не закроют большую часть участка. Далее проектируют, учитывая эти новые, правильные формы. Оставшиеся по периметру треугольники заполняют посадками. Особенно тщательно нужно прорабатывать (закрывать посадками и постройками) углы участка, ведь именно они нарушают гармонию сада. В результате участок приобретает новую форму, оставаясь в старых границах.

Неправильная форма участка может привести к оригинальным, интересным проектировочным решениям, когда недостатки участка превращаются в его достоинства.

УЧАСТОК С ВЫРАЖЕННЫМ РЕЛЬЕФОМ

Участки с ярко выраженным рельефом: на склоне оврага, на речной террасе, в холмистой местности — обладают как недостатками, так и неоспоримыми преимуществами. Как правило, такие участки и сами очень красивы, и с них открываются чудесные виды на окрестности. На склонах не задерживается влага, и они редко бывают заболоченными. На этом достоинства заканчиваются, уступая место недостаткам – иссушение почвы, размывающие все и вся потоки воды, необходимость террасирования, строительства дорогостоящих подпорных стен, дренажей и лестниц, подсыпки грунта. В обустройстве такие участки гораздо дороже условно ровных.

Именно на таких участках совершенно необходим грамотный проект вертикальной планировки, созданный на основе топографической съемки участка. Проект позволит избежать многих ошибок и растраченных впустую средств.

Подпорные стены стоит сооружать только там, где они совершенно необходимы – на придомовой территории с мощеными площадками, дорожками, гаражами. В прогулочной, садовой части решить проблему можно с помощью геопластики, т. е. создать на участке новый, улучшенный рельеф, более удобный для хозяев. В проекте будет учтен весь объем перемещаемого на участке грунта, что позволит распорядиться им с наибольшей эффективностью и экономией.

На таких участках стараются строить как можно меньше лестниц, так как они утомляют людей, трудны в уходе и эксплуатации, особенно зимой. Необходимо предусмотреть круговой путь тачки, газонокосилки по участку, минуя лестницы.

Современные технологии строительства позволяют «утапливать» постройки в рельеф, высаживать газоны, почвопокровные растения на кровлях гаражей, хозяйственных построек. Доверить обустройство таких садов можно только грамотным, опытным специалистам.